EEN GOED KIND REGEERT Z'N EIGEN

Ook leverbaar van Nico ter Linden bij Uitgeverij Balans

Moet je horen. De kinderbijbel van Nico ter Linden
Mijn vader
Het verhaal gaat (deel 1 t/m 6)

Een goed kind regeert z'n eigen

*Het ontroerende en hilarische levensverhaal
van een dapper volkskind uit de Jordaan,
verteld aan en opgetekend door*

Nico ter Linden

UITGEVERIJ BALANS

Copyright © 2012 Nico ter Linden / Uitgeverij Balans, Amsterdam

Alle rechten voorbehouden.

Omslagontwerp Nico Richter
Omslagillustratie © Erven Piet de Goede
Boekverzorging Magenta Ontwerpers, Bussum
Foto auteur Rogier Veldman
Druk Bariet, Steenwijk

ISBN 978 94 600 3369 8
NUR 680

www.uitgeverijbalans.nl

Voorwoord

Mijn naam mag dan wel het omslag van dit boekje sieren, maar er staat nauwelijks een woord van mij in. Het is de levensgeschiedenis van Linda van 't Wout en ik heb dat verhaal zorgvuldig uit haar mond opgetekend.

Sinds 1977 wonen wij in Amsterdam en tot op de dag van vandaag is Linda van 't Wout onze steun en toeverlaat. Zij boent en dweilt en schrobt en ze weet van geen ophouden, want er moet altijd iets nog een sopje krijgen. Linda heeft ons wegwijs gemaakt in de stad, ze heeft ons Amsterdams geleerd, ze heeft de kinderen zien opgroeien en toen ze uitzwermden heeft ze er steeds voor gezorgd dat ze in een schoon huis terechtkwamen. Linda is niet meer weg te denken uit ons gezin.

En al die tijd dat ze bij ons is – nu bijna vijfendertig jaar – heeft zij verteld, bij de koffie. Over haar opa, haar opoe, over haar moeder en haar tantes, over het leven in de Jordaan, de Kinkerbuurt en de Pijp, het ene verhaal na het andere, want vertellen kan ze. En al die jaren riep ik, wanneer wij weer 's nodig aan het werk moesten: 'Je moet het allemaal opschrijven, Linda, voor jezelf, voor je kinderen en voor ons, want die verhalen mogen niet verloren gaan.'

Maar Linda schreef niets op, Linda ging door met poetsen en iets nog even een sopje geven. 'Goed,' zei ik, 'dan schrijf ik het voor je op.'

Hier is haar levensverhaal, getrouw te boek gesteld voor haar man en voor haar kinderen, voor ons en voor onze kinderen, en voor wie het verder nog maar lezen wil.

Nico ter Linden

M'n moeder

Eigenlijk heet ik Aaltje, net als m'n moeder, maar ik wou een andere naam en toen is het Linda geworden.

Mijn moeder werd in 1922 geboren, als tiende en laatste kind, in de Passeerdersstraat, in de Jordaan. Alida. Ze ging naar de BLO, het Bijzonder Lager Onderwijs, want ze kon niet goed leren. Veel heeft ze er helaas niet opgestoken, net als haar moeder kon ze niet lezen en schrijven. Ze kon wel Duits, en later kon ze ook Engels.

Ze was mooi om te zien, m'n moeder, hebben ze me later verteld, ze had een weelderige bos haar en een grote boezem. Maar weinig verstand dus. Vanaf haar twaalfde jaar werkte ze her en der als hulp in de huishouding. En ze was mannengek. Al op d'r vijftiende liep ze steeds van huis weg, dan belde ze zomaar bij vreemde mensen aan: 'Ik ben wees.' Zo kwam ze dan aan een plaats om te slapen. Na een tijdje dook ze weer op.

In de oorlog ging ze met Duitse soldaten. Toen ze een keer met mijn tante Annie langs een hotel liep, ergens in Zuid, een moffenhotel, zaten er koks en obers buiten en toen m'n moeder langsliep, begonnen ze allemaal te fluiten. Mijn moeder lokte dat uit.

Hartje oorlog raakte ze zwanger van een Duitse soldaat, dat kon haast niet uitblijven, en in 1943 werd er in het Julianaziekenhuis een meisje geboren, dat heette ook Alida, net als zij dus. Het kindje was niet gezond en het heeft ook niet lang geleefd. Het lag vaak in het ziekenhuis en na een klein jaar is het daar ook gestorven, aan ondervoeding.

M'n moeder heeft de baby al die tijd niet ene keer verluierd, ze keek niet naar d'r om. M'n opa zorgde voor het kind, zelf ging ze gelijk weer achter de soldaten aan.

'Annie, ga jij 's kijken op het Rembrandtplein, want daar is je zus gezien,' zei opoe, toen ze 't weer een keer zat was.

Annie vond haar in restaurant Ruteck's. Ze zat er in het gezelschap van een hoge ome, een Duitse officier, achter een groot bord met eten. In de hongerwinter! 'Zeg Aal,' zei Annie, 'zou jij niet 's gauw naar je kind gaan en naar je vader en moeder, die zitten zwart van de honger thuis, terwijl jij hier je eigen zit vol te vreten.'

'Lazer op,' zei m'n moeder, 'of ik geef je aan bij de Ortskommandant.' Dat zei ze natuurlijk omdat Annie in de zwarte handel zat.

M'n tante had 't niet meer, natuurlijk, dat je er doodleuk mee dreigt om je eigen zuster te verlinken! Ze vloog haar an, maar er was gelukkig ook een buurman van ze in de Ruteck's, die zag het gebeuren en greep haar bij d'r nekvel: 'Ben jij nou helemaal besodemieterd, Annie, straks word je naar de Euterpestraat gebracht en dan zie je je kinderen nooit meer terug.' Daar hadden de Duitsers hun hoofdkwartier, in de Euterpestraat.

Toch was de honger die winter nog niet eens het ergste, zei mijn opoe altijd. De kou was erger, en brandstof was onbetaalbaar. Op een dag ging m'n opa met de buurman spoorwegbielzen jatten in De Rietlanden, achter Zeeburg, daar hadden vroeger van die goederenwagonnetjes gereden. Het was nog een heel werk om die dingen uit te graven. In het halfdonker zag m'n opa ineens twee kerels zo'n biels wegsjouwen. 'Lassen sie das fallen!' riep hij zo Duits als hij maar kon. Die gasten wisten niet hoe gauw ze weg moesten rennen en mijn opa en de buurman hadden weer wat om te stoken.

Na de oorlog zou m'n moeder kaalgeknipt worden, dat deden ze toen met moffenmeiden, maar een zus van haar, tante Grietje, had haar gauw bij zich naar boven gehaald: 'Jullie blijven met je poten van m'n zuster af.'

Mijn moeder heeft daar toen een tijdje ondergedoken gezeten. De buurvrouw van tante Grietje was ook fout geweest, die hebben ze wel kaal geknipt. Het mens had haar krulspelden nog in, maar dat kon niet schelen, die krullers werden er gelijk mee afgeknipt, je hoorde ze in het teiltje vallen. M'n moeder is dus nooit kaalgeknipt.

Begin '46 raakte ze zwanger van mij. Er werd gezegd dat dat van een Canadees was, maar het kon evengoed van een gehuwde Amsterdammer zijn met wie ze toen omgang had. Die man zei tegen m'n opa dat hij d'r niks mee te maken had: 'Ze kan wel zoveel zeggen.' 'Hij had kastanjebruin haar en kastanjebruine ogen, net als jij,' vertelde m'n opa later, maar je had natuurlijk ook Canadezen met kastanjebruin haar en kastanjebruine ogen. Ik weet dus niet wie of m'n vader is.

Toen m'n moeder vier maanden zwanger was, ontmoette ze Cor van 't Wout, die was corveeër bij Ruteck's, boenen en bordenwassen. Hij wou wel met m'n moeder trouwen, 'dan heb dat kind tenminste een naam'. Daarom heet ik dus Van 't

Wout. Ze trokken samen in bij m'n opa en opoe. Die zaten inmiddels niet meer in de Jordaan, ze woonden in de Jacob van Lennepstraat, in de Kinkerbuurt.

Ik ben in het Wilhelminagasthuis geboren en ik kreeg dezelfde naam als het kindje dat overleden was. Na een week mocht ik naar huis, maar m'n moeder moest nog even in het ziekenhuis blijven, die had een oogontsteking. En ze moest ook aan haar baarmoeder geholpen worden, zei de dokter, want die was gekanteld. 'Rustig zo laten zitten,' zei m'n opa. Hij nam mij mee naar huis en ging iedere dag een fles halen met de melk die m'n moeder afkolfde.

Ik was de eerste weken een huilbaby, maar als ie thuis was, nam ome Cor me in z'n armen en wiegde me. Hij zong altijd dit versje:

> *God sal me lazere,*
> *Ka, kom d'r uit,*
> *daar heb je de muzikanten.*

Dan viel ik gauw in slaap, vertelde m'n opa. Nee, die ome Cor was de beroerdste niet. Jammer genoeg ben ik er nooit achtergekomen wat of dat voor liedje was.

Mijn moeder is na de oorlog nog wel even in

de gevangenis beland, aan de Amstelveenseweg, maar dat was meer voor prostitutie, denk ik, niet vanwege de oorlog. M'n opa heeft me later verteld dat ze daar truitjes voor mij breide, van katoen. Hij vond het verschrikkelijk, wat z'n jongste dochter allemaal uitvrat, maar hij heeft haar nooit laten vallen. En hij heeft helemaal in z'n eentje voor mij gezorgd, want m'n moeder ging al weer gauw op mannenjacht, ome Cor was tot 's avonds laat bij Ruteck's aan het werk en m'n opoe kon niet goed meer lopen van de reuma.

M'n opa

Als ik die man niet had gehad… Hij was communist, hij geloofde niet in de hemel, maar als iemand de hemel verdiend heeft, is hij het wel. Ik kan uren over hem vertellen. En anders wel over m'n opoe, een heel ander type, maar evengoed een mens van goud. Als kinderen bij mij op school vroegen wanneer mijn vader en moeder geboren waren, zei ik altijd: 'In 1885 en in 1884.' 'Goh, wat heb jij ouwe ouders,' zeiden ze dan.

M'n opa werd in Nieuwer-Amstel geboren, als oudste van tien kinderen, in de polder aan de westkant van de Amstel, z'n vader was er loswerkman. Dat gebied hoort nu bij Amsterdam. Het gezin belandde in de Laurierstraat in de Jordaan. Ik heb eens gelezen dat daar toen 16.000 woningen waren voor 77.000 mensen. Armoe troef, natuurlijk.

De eerste dag dat ze er zaten, pisten de Jordanezen die daar ook op de trap woonden 's nachts al hun klompen vol, die stonden voor de binnendeur netjes op een rij. 'Je houdt je kop,' verordonneerde m'n opa z'n vader, zodra hij het in de gaten kreeg, 'je geeft geen draad sjoege, dan hebben ze d'r geen lol van.' Dat had ie goed gezien, ze werden de beste maatjes met die buren en ze hebben er geen van allen ooit nog een woord over gezegd.

Staats heette m'n opa, Abram Adrianus Staats. Van z'n jeugd weet ik verder eigenlijk niks, behalve dan dat hij op klompen voetbalde, want geld voor schoenen hadden ze niet. In 1906 trouwde hij met m'n opoe, Maria Elisabeth Johanna Hulsebos. Ze hadden elkaar op een feest in de Jordaan leren kennen, bij een draaiorgel, het lijkt wel een ouderwetse film. Maar verder was het allemaal zo romantisch niet, m'n opoe kon niet lezen en schrijven en toen ze trouwden was hun eerste kind, tante Trijntje, al twee maanden oud.

Als klein meisje woonde m'n opoe in de Tichelstraat, later in de Wijde Gang, ook in de Jordaan, in een steeg die helemaal niet 'wijd' was, in een achenebbisj buurt tussen de Westerstraat en de Palmgracht. Later hebben ze de boel daar gesaneerd. Na schooltijd ging m'n opoe garnalen pellen in de Goudsbloemdwarsstraat. Uitjes schoonmaken deed ze daar ook, voor in 't zuur.

Stonden d'r ogen rood van de tranen. Dat garna-
lenpellen heb ik van haar geleerd, maar zo snel
als zij kan ik het niet.

Toen ze acht jaar was moest ze al van school,
zorgen voor haar vader. Die was aan de drank
geraakt, na de dood van haar moeder. Vier jaar
was ze, toen d'r moeder stierf. Haar stiefmoeder
was ook aan de drank, daar moest ze ook voor
zorgen. Haar vader had die vrouw in een kroeg
opgeduikeld. 's Morgens vroeg moest m'n opoe
koffie zetten voor die twee, konden ze een beetje bijkomen. Als kind kreeg ze een keer zo'n kan
kokende koffie over zich heen, ze kon nog niet
goed bij het aanrecht.

M'n grootouders gingen in de Passeerdersstraat wonen en ze kregen tien kinderen, de
meesten zijn daar geboren. Tante Trijntje kwam
effe tekort, die ging naar de BLO. Een jaar later
werd m'n oom geboren, Joop Christoffel, die was
slechtziend. Ging op z'n twaalfde naar het blin-
deninstituut en daarna werkte hij op een werk-
plaats voor slechtzienden. Vervolgens werden er
nog een paar meisjes geboren, waarvan er eentje
na twee jaar stierf en eentje na zes weken. Toen
kwam er weer een jongetje, die werd naar mijn
opa vernoemd, Abram Adrianus. Toen hij vijf
was, stierf hij aan een longontsteking. Ja, m'n

opoe, die had haar geloof, maar m'n opa dus niet. 'Als er een God is, had ie mij die drie kinderen niet afgepakt,' zei hij vaak. Hij was dol op kinderen. 'Toen dat jochie van vijf was overleden,' vertelde tante Annie op een keer, 'stond hij in een hoek van de kamer te huilen; het is de enigste keer dat ik hem dat heb zien doen.'

M'n opa en opoe liepen allebei met vis. 's Ochtends eerst naar de visafslag, daarna hadden ze ieder een eigen wijk. Mijn opoe verkocht beter, ze had een grote stem: 'Grote Garnale!' Zolang ze een kind aan de borst had, ging die mee op de kar, in een kistje. Zij deed de buurt van het Concertgebouw. Als ze los was, ventte ze de kar van opa uit, kon die verder mooi op de kinderen passen. In de winter was er vaak geen vis, dan leefden ze van de steun. De kinderen konden dan eten krijgen in een zaaltje van een school op het Raamplein. Daar kregen ze ook kleren voor school.

Ze woonden boven een comestibleszaak, tegenover de appeltjesmarkt. Voor ze naar school gingen zochten de kinderen daar rotte appeltjes tussen de kratten en de kramen, ze hadden altijd honger. Met z'n allen deelden ze er één kamer, een keuken en een bedstee. Die bedstee had twee verdiepingen; boven sliepen opa, opoe en de baby, onderin lag een grote strooien zak voor de andere kinderen. Toen niet iedereen meer in de bedstee paste, werd er 's nachts nog een strooien zak onder de vensterbank gelegd, waar 't altijd tochtte. Je kunt het je vandaag de dag niet meer voorstellen, al die armoe. Maar het is nog maar even geleden.

De kachel ging 's middags pas om vijf uur aan, ze stookten met briketten. 's Avonds hing je je kleren op aan een houten rekje om die kachel heen, wie 's morgens het eerst op was, trok de knapste kleren aan, want je had eigenlijk geen spullen van jezelf.

Op een dag was m'n tante Annie met een vriendinnetje naar de Bijenkorf gegaan om de Sinterklaasetalages te bekijken. M'n tante zag een hele mooie pop. 'O, kijk 's wat een prachtige pop,' zei ze tegen haar vriendinnetje. Die vond die pop ook zo mooi. 'Meisjes,' zei een dure mevrouw, die achter ze stond en alles had gehoord, 'meisjes, jullie krijgen van mij allebei zo'n pop.' 'Maar we mogen niets van vreemde mensen aannemen,' zei m'n tante. 'Dat is heel verstandig van je vader en moeder,' zei die mevrouw, 'maar ik koop ze toch en dan loop ik met jullie mee naar huis en dan leg ik het even uit.'

'Mevrouw, dat is heel aardig van u,' zei m'n

opa, 'mijn dochter mag die pop houden, maar dan wordt er wel door álle kinderen mee gespeeld.'

Die pop was natuurlijk gauw naar z'n grootje.

Geld voor sinterklaascadeautjes was er niet. Wel mochten de kinderen op 4 december elk een ijzeren bord neerzetten. Op 5 december lag er dan een suikerhart op.

Ze hadden geen cent te makken, ze liepen op klompen. Op een keer had m'n tante Annie op de eetzaal aan het Raamplein een kop erwtensoep gekregen, d'r zat een stuk worst in. Die nam ze in d'r klomp mee naar huis, 'voor moe.' Ik noem tante Annie zo vaak, want zij heeft me veel over vroeger verteld – ik heb nog een tijd bij haar in huis gewoond.

Mijn opoe was niet van de communisten, die was hervormd. Maar bij mijn weten kregen ze geen steun van de kerk en ook niet van de CPN, de Communistische Partij Nederland, m'n opa en m'n opoe wilden die twee strikt gescheiden houden en zo kwam er niemand van de diaconie in huis en ook niet van de partij. M'n opoe mocht 's zondags in de kerk wel wat in de collectezak doen en iemand van de CPN kwam iedere week de contributie ophalen, maar ze vingen dus niks.

Toen de nood een keer erg hoog was, zei hun katholieke buurvrouw dat ze wel aan de pastoor wou vragen of die niet 's langs kon komen, misschien dat de Vincentiusvereniging wat voor ze kon doen. Dat wou m'n opa niet. 'Zo'n roomse paap komt er hier niet in,' zei hij. Later gaf hij toe. 'Maar dan zorg ik er wel voor dat ik thuis ben, als ie komt.'

De pastoor kwam, ze konden kleren krijgen en dekens. Ondergoed wou de pastoor ook wel geven, maar dan moest tante Annie, die was de knapste, zich eerst even uitkleden, kon ie zien of 't echt nodig was. Toen heeft m'n opa hem met de korte stoffer de trap af gemept: 'Zwartrok, d'r uit en je komt d'r nooit meer in.' Die kleren en dekens konden ze toen natuurlijk op hun buik schrijven. 'De pastoor had heus geen bijbedoelingen hoor,' zei de buurvrouw. Ze keek m'n opa nooit meer aan.

Van geboortebeperking hadden ze nog nooit gehoord. Als er weer een kind gebaard moest worden, haastte m'n opa zich naar de Laurierstraat, daar woonde z'n moeder. 'Ik ga de juffrouw halen, ga jij gauw naar Marie, want die is aan het bevallen.' Even later kwam opa dan met de vroedvrouw aangezet, z'n moeder had intussen gesteven witte gordijnen voor de bedstee gehangen. Opa wachtte op de gang tot hij het kind hoorde huilen.

Sappelen

M'n opoe ging altijd tot in de zesde maand door met vis venten, daarna deed ze hier en daar nog wat huishoudelijk werk. Toen op een keer de weeën begonnen, vroeg ze haar mevrouw of ze alsjeblieft naar huis mocht. 'Eerst nog even de kachel potlooien,' zei dat rotwijf.

Ach, m'n opoe, wat heeft me dat goede mens gesjouwd. Als het regende kwam ze drijfnat van het venten thuis, dan haalde opa wat hete kooltjes bij het water- en vuurhuis op de Elandsgracht, voor in de stoof. Ze moest haar kleren wel aan d'r lijf drogen, want verder had ze niets om aan te trekken. Geen wonder dat ze later reuma kreeg.

Net als vroeger bij m'n opoe thuis moest Trijntje, de oudste dochter, vroeg van school af, op d'r negende al, om op haar zusjes en broertjes te passen en het huis schoon te houden. Bij het boenen van de houten vloer moest ze wel uitkijken dat het niet beneden in de comestibleszaak ging lekken.

Ze hadden geen toilet, alleen een houten kist met een poepemmer erin. Op de appeltjesmarkt verzamelden ze sinaasappelpapiertjes, die roken zo lekker en het was mooi toiletpapier. Iedere week kwam er een strontkar langs om die stankzooi op te halen. De Boldootkar heette dat ding, Boldoot was toen een merk eau de cologne. Trijntje is een keer met emmer en al op de trap gestruikeld, alle treden zaten onder de troep, die kon dat arme kind toen allemaal opdweilen. Later kregen ze gas en licht, dan moest je iedere keer een penning in zo'n kastje gooien. Als ze geen penning meer in huis hadden, ging 't ook met verduitjes, van die vierkante, zinken stuivers die je toen had, maar wanneer de meteropnemer kwam, moesten ze dat natuurlijk wel bijpassen.

Op zondagmiddag ging m'n opa altijd naar het voetballen, naar Blauw Wit, in het Olympisch stadion. In z'n trouwpak ging ie en op z'n zondagse schoenen, het was z'n enige uitje. Hij ging altijd samen met z'n broer, die was ook van Blauw Wit en zat ook in de vis. Hij had z'n kar blauw en wit geschilderd.

Als m'n opa thuiskwam van het voetballen, deed ie onmiddellijk z'n ouwe kloffie weer aan. Hij heeft z'n leven lang met dat trouwpak gedaan, want dik werd ie niet, er zat geen gram vet aan.

Terwijl m'n opa naar het voetballen was, wilde m'n opoe nog wel 's bij iemand stiekem een wasje doen, op zo'n wasbord in een tobbe. Toen heeft die katholieke buurvrouw d'r een keer verlinkt bij de steun. Stonden die lui d'r op te wachten, na zo'n wasje, haar boezelaar was helemaal nat. Kreeg ze gelijk een boete en haar wasloon werd in mindering gebracht op de uitkering. Strafsteun heette dat. Hingen ze helemaal met hun keel aan de kapstok.

Als het even kon lijden, kregen de kinderen op zo'n zondagmiddag allemaal een halve cent. Omdat ze geen schoenen hadden, mochten ze niet de straat op, want 's zondags loop je niet op klompen. Dan lieten ze een buurmeisje snoep halen, voor dat halfie. Dat was een hele attractie, want dat arme kind stotterde zo en dan moest ze alles herhalen, want die etters wouen zeker weten of ze de bestelling wel goed begrepen had. 'Een halve warme p.. p.. peer, een stukje k.. k.. kokosmak.. k.. kroon en d.. d.. d.. duimdrop.'

'Zeg 't nog 's,' zeiden ze dan.

Op een keer had tante Rietje de haren van d'r zusje afgeknipt, van tante Annie, die had zo'n pony. Ze verveelden zich natuurlijk dood, die kinderen, op zo'n zondag. Tante Rietje knipte steeds scheef, dat kun je begrijpen, en zo bleef er weinig van die pony over. 'Juffrouw Staats,' riep de overbuurvrouw toen m'n opoe van haar wasje thuiskwam, 'ga alsjeblieft gauw naar boven, die meid heb d'r zusje zitte knippe, je weet niet wat je ziet.'

Hadden m'n opa en m'n opoe een keertje goed vis verkocht, dan permitteerden ze zich een luxe: ze dronken koffie. Dan moest Trijntje een half loodje gemalen koffie gaan halen bij de kruidenier, samen met een kannetje gecondenseerde melk. Dan wiebelde ze expres-per ongeluk met dat kannetje, de melk die er dan over ging kon ze onderweg oplikken, lekker zoet.

Maar als er in de winter geen vis meer was en nauwelijks nog eten voor de kinderen, geneerde opoe zich niet om uit bedelen te gaan bij haar klanten achter het Concertgebouw. Dan kreeg ze nog wel 's wat eten mee. 'Als je eerst even de gang boent,' zei toen op een keer een goedgeefse mevrouw.

Sommige schoolvriendinnetjes hadden mooie kleren voor de zondag die dan op maandag naar ome Jan, de Bank van lening, werden gebracht en daar vrijdags weer werden opgehaald. Maar dat wou m'n opa niet, daar hield ie niet van.

Tante Annie

De oudste zus van m'n moeder werkte thuis, dat vertelde ik al. De andere dochters gingen na hun schooltijd, op hun twaalfde, allemaal in een dienstje. Toen tante Annie uit werken zou gaan, kwam de bovenmeester vragen of ze niet door mocht leren, ze had zo'n goed verstand. Maar dat zat er niet in. Toen kwam ze op een rijnaak te werken, die langs de boerderijen voer. Die man vertinde vleeshaken, dat deed ie aan boord. M'n tante deed er de huishouding. De mensen van die rijnaak hadden zelf geen kinderen, ze waren dol op m'n tante, ze wilden haar min of meer adopteren. 'Komt niks van in,' zei opa, 'ik héb er tien en ik hóu er tien.' Op een dag lieten die mensen een divan bezorgen, voor als m'n tante thuis sliep, hoefde ze niet op die strooien zak. 'Verkopen dat ding en de centen verdelen,' zei opa, 'we hebben hier geen prinses in huis.'

Later kreeg Annie verkering met een loodgietersknecht, ome Flip. Die sloeg haar. Bang om hem tegen te komen, had ze op een zondag de jas van een vriendin aangetrokken, maar hij herkende haar toch en scheurde gelijk die mantel aan flarden. Die moest meneer wel vergoeden, want nu kon die jas niet meer op en neer naar de lommerd.

Stom genoeg is ze toch met hem getrouwd. Hij gaf haar grote cadeaus en opoe dacht dat ze bij hem wel onder de pannen zou zijn. Niet dus. Ze wou van 'm scheiden, m'n opa is haar tot twee keer toe wezen verhuizen met de handkar: 'We zijn blij dat je d'r komt halen, meneer Staats, want haar gegil is niet om aan te horen,' zeiden de benedenburen. Maar ze ging steeds weer terug. Een sadist was het, die man van haar. Toen hij op een dag voor een week ver van huis op karwei zou gaan, moest m'n tante hem vroeg wekken. Toen heeft die pokkenkerel een hele bus talkpoeder over de bank en de stoelen uitgestrooid. 'Ken je lekker soppe, als ik weg ben.'

Ze is twee keer van 'm gescheiden. Toen ie tijdens de oorlog voor zwarte handel in de bajes zat, greep ze haar kans en nam ze definitief de benen.

Ze zat trouwens zelf ook in de zwarte handel. Een buurvrouw heeft haar toen verraden. Die heeft toen ook beweerd dat tante Annie's

zoon van veertien jaar zijn zus van tien misbruik-
te. Dat was pure laster, maar evengoed moest
mijn nichtje naar een gesticht in Zetten. Mijn
neef kreeg van de voogdijvereniging een banket-
bakkersopleiding. Die jongen stal als de raven in
de oorlog, samen met z'n vriendjes, voedsel uit
vrachtauto's van de Duitsers. Op een dag hadden
ze een stel Edammer kazen gesnaaid. Ze namen
elk een Edammer mee naar huis, maar ze hielden
er eentje achter, om mee naar de hoeren te gaan.
Ieder een homp kaas, betalen in natura, omstebeurt. M'n neef heeft het me later zelf verteld.
Toen hij aan de beurt was, als laatste, stapte hij
naar binnen, stuk kaas onder z'n arm, hij zag die
vrouw languit liggen, op dat bed, hij schrok z'n
eigen het lazarus en rende met kaas en al weer
naar buiten.

M'n opa was geabonneerd op *De Waarheid*
en hij mocht mijn opoe graag stangen, want die
was oranjegezind: 'Die Wilhelmina is 'm anders
wel gesmeerd, toen de Moffen kwamen.' 'Dat was
heel verstandig van haar,' zei m'n opoe dan. Opoe
was hervormd, dat vertelde ik al. Maar ze hadden er nooit ruzie over, ze hadden nergens ruzie
over. Later, toen ze in de Pijp woonden en m'n
opoe door de zware reuma niet meer kon lopen,
hadden ze een rolstoel met een fiets eraan vast,

en dan reed m'n opa haar iedere zondag naar de Oranjekerk. Een uur later haalde hij d'r weer op.

In de oorlog hielp hij bij het stiekem drukken van *De Waarheid*. M'n opoe wist daar niks van en dat was maar goed ook. Ze hebben haar een keer opgepakt, de Duitsers, en naar de Euterpestraat gebracht. 'Die man van u zit in het verzet.' 'Ik weet van niks,' zei m'n opoe. Ze wist ook van niks. Ze moest iets ondertekenen, maar dat heeft ze geweigerd: 'Meneer, moet u 's goed naar me luisteren, ik kan niet lezen wat daar staat, en ik kan ook niet schrijven, ik teken niet.'

Door al die verhalen wist ik veel van de oorlog. Toen ik later voor school opstellen moest maken, kon ik het zo opschrijven.

Verdwenen

Ik was twee jaar toen m'n moeder ineens spoorloos verdwenen was. Tegen m'n opoe had ze gezegd dat ze ome Cor bij de Ruteck's ging halen, maar een uurtje later kwam ome Cor alleen aangezet: m'n moeder was niet komen opdagen. Ze hebben zich een ongeluk gezocht, door heel Amsterdam heen, maar ze konden haar nergens vinden. Later bleek dat ze met iemand naar Rotterdam was gegaan, naar Katendrecht.

Toen ze een jaar weg was, wou ome Cor scheiden. Ze lieten in de *Staatscourant* zetten dat m'n moeder zich moest melden, maar lezen kon ze niet, dat vertelde ik al, en al kon ze lezen, wie leest er nou de *Staatscourant*? Toen is de scheiding bij verstek uitgesproken. Zei m'n opa tegen ome Cor: 'Zeg, jij gaat toch niet dat kind van mij afnemen, hè?' 'Ze heeft 't goed bij jou,' zei Cor, 'ik doe afstand van m'n rechten.' Toen is m'n opa voogd geworden en m'n opoe toeziend voogd. Mijn moeder werd uit de ouderlijke macht ontzet. Cor ging ergens anders wonen, en langzaam aan verloren we hem uit het oog. Een mevrouw van de voogdijvereniging heeft nog wel een keer contact met hem gehad, dat was toen ik ging trouwen en hij toestemming moest geven, ik was nog maar 21 jaar. Dat heeft ie toen gedaan, schriftelijk. Hij kwam niet op de bruiloft, zei hij tegen haar, dat vond ie te moeilijk. 'Maar ik hoop dat het haar goed mag gaan,' dat zei ie wel.

Die voogdijvereniging hield altijd een oogje in het zeil. Elke drie maanden moest ik naar ze toe, m'n opa ging altijd mee en dan bleef hij bij me, ook als die persoon van de voogdij me liever alleen wou zien. 'Alles kan gezegd worden waar ik bij ben,' zei hij dan. Zo moest ik ook een keer, ik was nog heel klein, naar de kinderpsychiater, naar mevrouw Swelheim-de Boer, ergens in Zuid. Opa mee, natuurlijk. Die mevrouw liet me allemaal testjes doen, ijzerdraadjes uit elkaar halen en plaatjes soort bij soort leggen. 'Dat kind is vier jaar oud,' zei die mevrouw tegen opa, 'maar ze heeft het verstand van een kind van zes.' M'n opa was apetrots, hij ging het aan iedereen vertellen.

In die tijd verhuisden we van de Jacob van Lennepstraat naar de Quellijnstraat. Dat kwam zo:

tante Trijntje, de oudste, woonde een paar meter verderop in de Jacob van Lennepstraat, met die man van haar, ome Toon. Die stond met vis op de Ten Katemarkt, maar er lag nooit meer dan een klein handeltje in zijn kraam – geld om behoorlijk in te kopen had ie niet, want dat verzoop ie. Om twaalf uur, wanneer m'n tante dacht dat ie al wat verkocht moest hebben, ging ze gauw naar 'm toe om haar vijf gulden huishoudgeld te halen. Op zaterdag kon ze vijftien gulden krijgen. Zodra ie los was, ging ome Toon naar De Grote Slok in de Kinkerstraat. Hij zoop z'n eigen altijd helemaal klem, maar hij had gelukkig nooit een kwade dronk. Uiteindelijk dronk hij zoveel dat m'n tante hem niet meer meekreeg uit dat café. Dan werd ie 's nachts door z'n maten lamlazarus van z'n kruk gehaald en voor óns huis op de stoep gelegd, want ze hadden geen zin om hem helemaal naar tante Trijntje te sjouwen. Daar baalde m'n opa van, en daarom zijn we toen naar de Quellijnstraat verhuisd.

Ik was een bang kind. Als er visite kwam, ging ik gauw onder de tafel zitten en ik bleef daar net zolang tot ze weg waren. Alleen ome Freek, de nieuwe man van tante Annie, kon me eronder vandaan krijgen. Dat was een rustige man. Die zong dan een rijmpje en als ik dat hoorde kwam ik tevoorschijn en dan mocht ik op z'n schoot zitten:

Een aapje wou eens grappig zijn,
hij beet in de billen van de kapitein,
de kapitein werd reuze boos
en stopte 'm in de poederdoos.

Op de kleuterschool in de Govert Flinckstraat moest je één vinger opsteken voor als je moest plassen, twee vingers voor een grote boodschap. Maar ik was zo verlegen, ik durfde nooit. Op een keer heb ik zo lang gewacht met m'n vinger opsteken dat ik in m'n broek plaste. Toen moest ik die broek uittrekken, ik zat in mijn blote achterste in m'n jurk in de bank. M'n onderbroek hing over het kachelscherm te drogen, er stond zo'n grote zwarte kachel. Ik moest erg huilen toen opa me op kwam halen.

Opa bracht me altijd naar bed. Dan zat ik op z'n schouders en dan kieperde hij me zo in de alkoof, vaste prik. Hij zoende me niet, hij gaf me altijd een aai over m'n bol. Hij noemde me Kikkie, ik weet niet hoe of ie aan die naam kwam.

Hij hield toen duiven. Elke maandag ging hij naar het Amstelveld, een duif kopen, of alleen maar kijken. Soms was hij er nog niet als ik uit school kwam. Dan ging ik stil en stokstijf op een stoel kwaad zitten wezen, net zolang tot ie terugkwam. Misschien was ik wel bang dat hij nooit meer terugkwam. Maar dat was dus niet zo leuk voor m'n opoe, natuurlijk, want die kon er ook niets aan doen. Ze was zelf geen warme vrouw, ze heeft me nooit geknuffeld of zo. Als ze je een kus gaf, dan deed ze dat op je hand. Ik denk dat ik wel weet hoe of dat kwam: als klein meisje had ze zich al dat dronken volk bij d'r thuis van het lijf moeten houden.

Maar ze nam 't wel altijd voor me op, m'n opoe. Kwam ik bijvoorbeeld huilend boven omdat een jongen me van de vuilnisbak had gegooid, zei m'n opa: 'Nou, jij zal anders ook wel wat gedaan hebben.' Maar m'n opoe maakte onmiddellijk aanstalten om op haar kromme benen de trap af te lopen: 'Die meid heb niks gedaan, ik ga dat rotjong achterna, ik gooi 'm blind met peper.'

M'n opa was wel een echte knuffelkont. Dan pakte ie het hoofd van opoe tussen z'n twee handen vast en dan gaf ie haar een pakkerd, boven op d'r mond. Vond ze vreselijk. 'Je weet toch dat ik dat niet wil.' Hij was stapel op d'r, maar ze was moeilijk bereikbaar. Ze *zat* in bed, ze lag niet, ze *zat*, op een peluw, zo sliep ze. Dat deden veel mensen zo, toen.

Als kind was ik veel te dik. Voor het ontbijt maakte m'n opa geklopte duiveneieren met suiker en ik kreeg brood en pap met roomboter. 'Dat kind is te dik,' zeiden de buren. 'Maar ze is nooit ziek,' zei m'n opa dan.

Hij hield zelf ook van zoet. Aan het eind van de week ging hij een zak koekbreuk halen bij de bakker of bij Jamin: kapotte koekjes die ze niet meer konden verkopen. Kostte haast niks.

Opoe zorgde ervoor dat ik naar de zondagsschool ging. 'Dat kind mag gerust met jou mee met een rood vlaggetje lopen zwaaien in de optocht van het Waarheid Festival,' zei ze, 'maar dan wil ik dat ze naar de zondagsschool gaat.' 'Dat is goed,' zei opa, 'maar dan wel naar die van het Leger des Heils.' Hij vond het Leger minder erg als de kerk.

M'n opoe heeft me ook het Onze Vader geleerd en ze deed altijd een gebedje voor het eten. M'n opa niet en ik ook niet, dat hoefde niet en ik trok toch meer in de richting van m'n opa.

Op oudejaarsavond kwam de hele familie bij ons over de vloer. Dan had m'n opa een lange plank over de stoelen gelegd, aan allebei de kanten van de kamer, kon iedereen zitten. Eerst werd er poen bij elkaar gemansd en daar haalden ze dan een liter jonge klare voor. Kon iedereen een neutje krijgen, behalve ome Toon van tante Trijn, want die kwam al kachel binnen. Voor de vrouwen waren er klodders op brandewijn: abrikozen. M'n opa had de hele dag oliebollen en appelflappen staan te bakken.

Op een goed moment werd er dan een plaat opgezet, m'n opoe was dol op Jordaanmuziek, vooral op de liederen van zwarte Riek.

Mijn wiegie was een stijfselkissie,
m'n deken was een baaien rok,
m'n wiegie was versierd met strikkies,
m'n warme kruik zat in een ouwe sok.

Veel mensen die willen niet weten,
waar of toch hun wieg heeft gestaan,
maar ik ben het echt niet vergeten,
de mijne stond in de Jordaan.

En dan was het tijd voor de polonaise, door de kamer en door de gang. M'n opoe kon niet meelopen, die zat met een rode zakdoek om d'r nek en met twee pannendeksels lekker lawaai te maken, op de maat.

Vader, waarom hebben de giraffen
toch zo'n hele lange nek?
Jongenlief, vraag dat maar aan je moeder,
die vertelt 't jou direct.
Wanneer je vader zo een nek had was ie blij,
want dan bleef z'n borrel langer in de glij.

Opoe had een hele stapel van die Jordaanplaten.
M'n opa is er, een beetje teut van de jonge klare
– anders dronk hij nooit een druppel –, per ongeluk een keer op gaan zitten.

Bewaar je tranen maar voor later

Op zondag aten we paardenvlees, dat was luxe. Dat stond dan urenlang te sudderen op het petroleumstel, het gaf een zoete lucht. Door de week maakte m'n opa nog wel 's hachee van koeienuier. Soms zat de melk d'r nog aan, aan die uiers. Je zette ze eerst in de week in de azijn, dan afspoelen en aanbraden, een tijdje laten sudderen, een paar uitjes d'r bij en je had hachee.

Schoolkleren kreeg ik van de steun, een stel voor in de zomer en een voor in de winter. Nog twee andere kinderen in mijn klas kregen die kleren, een jongen en ook een meisje die d'r vader altijd in de lik zat. 'Vroeger was 't erger,' zei m'n opa, 'toen zaten er rode bandjes aan je kousen, kon iedereen zien dat het kleren van de steun waren.' Ik droeg altijd een geruit jurkje met een wit kraagje en een houtjetouwtjejas voor in de winter. Ik moest jongensschoenen dragen, die konden tegen een stootje. Na lang zeuren liet opa zich verleiden en nam hij me mee naar Van

Haren: ik kreeg ballerina-schoentjes, met zo'n bandje. Binnen drie maanden had ik ze afgeragd. 'Nou, je hebt 't zelf gezien,' zei opa, 'dat doen we dus niet meer.'

Op een keer was ik aan het touwtje springen en toen zag m'n opa dat ik een vlek op m'n jurk had. 'Naar binnen,' commandeerde hij, 'en schoon goed aantrekken.' Tegen opoe zei hij dan: 'Je verrader slaapt nooit, ze halen dat kind zo bij je weg, als je het niet verzorgt.'

Iedere zaterdagavond kwam de Berlinerbollenman langs:

Berlinerbollen, Berlinerbollen,
lekker bij de koffie, lekker bij de thee,
neem een Berlinerbolletje mee.

Op zondagmiddag kwamen de Volendammers, in klederdracht, die deden dan allemaal spelletjes met ons: de Zevensprong, en zo. En aan het eind van de middag liep de Zuurjood bij ons door de straat met z'n kar met houten tonnetjes vol met uitjes, augurken en leverworst in 't zuur. In een emaillen schaaltje moest ik dan voor vijftig cent wat van z'n waar halen.

Een keer in de maand was er voor CPN-kinderen een leuke film in Felix Meritis op de Keizersgracht; daar werd toen ook *De Waarheid* gedrukt. Opa bracht me erheen en hij haalde me ook altijd weer op. Alles lopend! Hij had lange benen, en ik maar achter hem aandraven. Tot m'n zesde droeg hij me altijd, op z'n nek. Dan deed ie een wollen das om m'n mond, kon ik geen kou vatten.

Ik ging ook ieder jaar met hem naar de intocht van Sinterklaas kijken, dat weet ik nog goed, op de hoek van de Weteringschans. Hoe koud het ook was, we gingen altijd, en ik mocht op z'n schouders zitten. Op 4 mei gingen we ook naar de Weteringschans, naar het monument daar, dat mankeerde nooit. M'n opa was razend als er om acht uur een auto doorreed in plaats van te stoppen. Het Wilhelmus zong ie nooit mee, maar hij ging wel in de houding staan. Op 24 februari ging hij naar de Dokwerker, voor de herdenking van de Februaristaking, dat kon ook niet missen. Hij was er trots op, dat hij daaraan had meegedaan.

M'n opoe speelde voor Sinterklaas. Dan had ze een mijter gemaakt van oude kranten, met een kruis erop geschilderd, en dan had ze een soort pij aan, antracietgrijs, en dan bonsde ze op de binnendeur. Ik zag haar achter het raampje staan, heel even stond ze daar. M'n opa droeg

39

me op z'n arm, want ik was doodsbang. Zodra m'n opoe verdwenen was, trok ze een ketting van de zoldertrap naar beneden, dat maakte een klereherrie. Dat was dan zogenaamd Zwarte Piet. Doodeng was het. Maar goed, er lag dan wel een zak met cadeautjes. Nou ja, een zakje dan. Heel af en toe mocht ik m'n schoen zetten. Als ik stout was geweest, zat er een eierkool in.

Van de voogdijvereniging kreeg ik met Sinterklaas ook altijd een cadeautje. Op een keer was dat een levensgrote pop met bruin haar en schoentjes en een gezicht van porcelein. Zo'n mooie pop had ik niet, ik had alleen maar een lappenpop, zo'n harlekijn met een bordpapieren gezichtje erop genaaid. Ik kwam uit school en ik zag die pop van achteren zitten, in de grote haardstoel, maar ik zag zo gauw niet dat het een pop was. 'Ik heb een ander kindje gekocht,' zei m'n opa. Hij maakte een grapje, maar ik ging door de grond, ik moest verschrikkelijk huilen. Nu ik het vertel krijg ik weer de rillingen.

Dat was in 1952, en dat weet ik zo goed, want een jaar later, in 1953, was er de Watersnoodramp en toen moest ik die pop afstaan aan de arme kindertjes in Zeeland, daar hielden ze een inzameling voor. En ik mocht niet huilen, want die kinderen daar hadden helemaal niets meer.

Opoe wou trouwens nooit dat ik huilde. 'Kind, bewaar je tranen maar voor later, dan zul je ze nog hard nodig hebben.'

Op woensdag gingen we met school naar het badhuis, op zaterdag ging ik er met m'n opa naartoe, die nam dan ook een stortbad. M'n opoe wou nooit mee, zij werd door m'n opa gewassen. Als ie 's ochtends haar gezicht waste en d'r nek vergat, riep ze altijd: 'Daar wonen anders ook mensen, hoor.'

In de zomer mochten de kinderen van tante Trien en tante Trijn naar een kamp van de katholieken op de Veluwe. M'n opa had de pest aan de katholieken, dat vertelde ik al, en ik maar vragen of ik mee mocht. 'Als ik zeg dat 't goed is, dan kan ik je morgen gaan halen, want dan heb je geheid heimwee,' zei opa. Uiteindelijk gaf hij toe, maar mooi dat ie de volgende dag naar de Veluwe kon om mij weer op te halen.

Hij was echt een papenhater, hoor. Ik was een keertje met een vriendinnetje naar de mis in het Van Nispenhuis geweest en ik had een ouweltje gehaald. Maar het zat me toch niet lekker en toen heb ik 't thuis opgebiecht. M'n opa pakte onmiddellijk een glas melk: 'Doorspoelen,' zei hij, 'dat zuivert.' Waarom dat spoelen met melk moest, weet ik niet.

Hij zat toen trouwens niet meer in de vis; dat was opgehouden toen m'n opoe niet goed meer kon lopen. Hij zat als bewaker op allerlei bouwplaatsen of hij werd naar het Bosplan gestuurd, waar nu het Amsterdamse Bos is. Als er geen werk was, liep hij in de steun.

Tante Grietje, die een viswinkel had in de Staatsliedenbuurt, gaf ons af en toe wat vis. Kregen we een keer bijvoorbeeld gerookte paling – dat was duur spul – dan ging m'n opoe de hele buurt de ogen uitsteken door hard op de trap naar m'n opa te roepen: 'Zeg Adriaan, heb jij die vellen van de paling die we gisteren aten al weggegooid?' Kon iedereen het horen. Lekker jennen, op z'n Jordanees.

Kijk, dat is je moeder

Toen ik zeven jaar was, kwam er een meneer uit Rotterdam bij m'n opa. 'Die dochter van u, Aaltje, die woont bij mij in huis.' Die man had een pension op Katendrecht, voor barmeiden was dat. Er kwamen daar veel varensgasten, die gaven haar hele trossen bananen en ook dozen met mooie nylonjurken. M'n moeder wou een keer langskomen, zei die man, maar ze durfde niet goed. 'Ze mag gerust komen,' zei m'n opa.

Toen ik op een dag uit school kwam, zat ze er ineens. 'Kijk 's wie of er is, dat is je moeder.' Ze wou me zoenen, maar dat wou ik niet. 'O, wat naar,' riep m'n moeder, 'mijn eigen kind herkent me niet!' 'Vind je 't gek, na vijf jaar?' zei opa.

Vanaf toen kwam ze af en toe bij ons op bezoek en na een tijdje zei ze tegen tante Annie dat ze weg wou uit Rotterdam. Toen is Annie naar Rotterdam gegaan om haar op te halen, met haar spulletjes. Bij het station nam ze een taxi naar Katendrecht. M'n moeder stapte in, maar onderweg, bij een grote boot, zei ze dat ze daar even iets moest regelen. 'Ik denk dat ze nog een klant had,' zei m'n tante.

Ze kwam voorlopig bij ons inwonen, m'n moeder, ze sliep bij mij in de alkoof. Ik weet nog goed dat ik toen helemaal tegen de muur aan ging liggen, zo ver mogelijk van haar vandaan.

Later zat ze bij tante Trijn in huis. Ik kwam er een keer omdat ik met m'n nichtje wou spelen, en toen lag ze met m'n neef in bed, in de tussenkamer. Heel raar vond ik dat. Hij was de oudste zoon van m'n tante, tien jaar jonger als m'n moeder. En toen ik er weer 's langsging, had ze een vreemde man op bezoek. Ze zei dat ik tante tegen haar moest zeggen, ze wou kennelijk niet dat die man wist dat ze een dochter had. Maar ik had nog nóóit moeder of mamma tegen haar gezegd, nooit in mijn hele leven niet. Toen ik het 's avonds aan m'n opa vertelde, is hij gelijk naar m'n moeder toe gegaan om haar d'r vet te geven.

Tante Trijn had trouwens nog een zoon, die kwam effe tekort. We noemden hem Schuddekoppie omdat ie zo met z'n hoofd wiebelde. Een muizenkoppie had ie. 'Ze hebben het goeie stuk weggegooid, het verkeerde stuk aangekleed,' zeiden ze in de buurt. Op de Wallen deed ie boodschappen voor de hoeren, broodjes osseworst bij

Dobbe en zo, hij leefde van de fooien. Later stond ie in een cowboypak met een klappertjespistool bij de ingang van de Parisien op de Nieuwendijk om mannenvolk te trekken voor de schunnige films die ze daar vertoonden. Het is helaas niet goed met Schuddekoppie afgelopen. Hij kon goed zwemmen, had al z'n diploma's, maar ze vonden hem evengoed in het water bij de steiger van rederij Van der Plas, tussen de rondvaartboten. Hij lag er al een paar dagen. Misschien was ie wel door een misdaad om het leven gekomen, omdat ie iets gezien had wat ie niet had mogen zien.

Bij een dochter van tante Trijn was na de geboorte van hun tweede kind de kraam in haar hoofd geslagen en toen moest ze naar een gesticht. Haar man nam de twee kinderen mee en die heeft ze nooit meer teruggezien.

Bij tante Trijn thuis wemelde het altijd van de vlooien en de neten: als ik er op bezoek was, voelde je ze op je springen. Thuis moest ik mij dan gelijk omkleden.

Ik ging op school in de Albert Cuyp, met de marktkramen voor de deur. Dat gebouw staat er trouwens nog steeds; er zit nu een boksschool in. Op weg naar huis had ik een keer een appeltje gegapt op de markt. 'Ik heb een stekkie gehad,' jokte ik tegen m'n opa. Dat is een appel met een rot plekje, die kon je zo krijgen. 'Ik zie helemaal geen stekkie,' zei m'n opa, die het niet helemaal vertrouwde. 'Weet je wat, Aaltje, wij gaan samen even naar de Albert Cuyp om die koopman te zeggen dat ie z'n eigen vergist heeft.' Ik schaamde me kapot. Ik weet nog hoe vreselijk ik het vond, die hele weg terug naar de markt, op m'n kleine beentjes, en naast me m'n opa, met van die grote stappen. 'Koopman, je heb m'n kleindochter deze appel gegeven, maar ik denk dat je je eigen vergist heb, d'r zit geen stekkie an.' Later heeft m'n opa verteld dat ie die man gauw even een knipoog had gegeven, maar dat wist ik dus niet. De koopman kon ook geen stekkie ontdekken. 'Nou, vooruit,' zei ie, terwijl hij me dat appeltje teruggaf, 'dan heb ze mazzel gehad.'

Iedere woensdag ging m'n opa naar z'n moeder in de Laurierstraat, met tien eieren. Af en toe ging ik mee. Als je jarig was geweest, kreeg je van haar het cadeautje terug dat jij haar eerder had gegeven. Ze was net zo zuinig als m'n opa. Hij zorgde goed voor z'n moeder. Als ze niks meer om te stoken had, sjouwde hij een half mud eierkolen naar d'r toe, op z'n nek.

M'n moeder keek niet naar me om – het was net alsof ik niet bestond. 'Ze had beter in d'r broek kunnen schijten dan jou ter wereld brengen,' zei tante Annie een keer. Nou zei mijn opa nooit één lelijk woord over m'n moeder, daarom viel het rauw op m'n dak dat tante Annie dat ineens wel deed. Het was niet zo mooi van haar, om dat tegen mij te zeggen, maar ze was natuurlijk kwaad op m'n moeder en ik kreeg veel meer aandacht van m'n grootouders dan de andere kleinkinderen, dus dat stak.

Op haar drieëndertigste ontmoette m'n moeder een man van twintig, Rinus Colenbrander, z'n vader had een loodgietersbedrijf. Hij mocht nog niet trouwen, daar was ie niet oud genoeg voor, maar toen hij eenentwintig was geworden mocht 't wel, en toen zijn ze getrouwd. Zei tante Annie tegen hem: 'Ze kon haast je moeder zijn, Rinus, onze Aaltje is bijna veertien jaar ouder als jij en jij bent maar elf jaar ouder als dat kind.' Zei Rinus: 'Nou, als die achttien is, misschien dat ik dan wel overstap.' Dat vond m'n opa heel erg, dat hij dat zei.

Eerst hebben ze nog even met z'n tweeën bij ons ingewoond, in de Quellijnstraat, daarna verhuisden ze naar een zolderkamertje in de Albert Cuypstraat. Op een keer stuurde m'n opa mij met een boodschap naar m'n moeder toe. Maar ik kon er niet in, de deur zat op slot en m'n moeder kon er niet uit. 'Rinus heeft me opgesloten,' riep ze uit het raam. Hij dronk, Rinus, en hij sloeg haar ook. Hij wou natuurlijk niet dat ze de hort opging.

We hadden geen tv, dat wou m'n opa niet. Ik keek altijd bij de buren. Later vond hij dat toch ongezellig en toen hebben we bij Redelaar aan de Lijnbaansgracht een tv gekocht. Mochten we in zes maanden afbetalen, dan kwam er geen rente bij. Elke maand gingen we er samen naartoe.

De dood van opa

In 1956 waren m'n opa en opoe vijftig jaar getrouwd. Er was een feest in de Van Lennepzaal,
in de Jacob van Lennepstraat. Eerst kwam de fo-
tograaf van *De Waarheid*, vooral voor m'n opa, en
daarna het muziekkorps van het Leger des Heils,
vooral voor opoe. De hele familie was er, ome
Toon dronk zich als altijd een stuk in zijn kraag.
    Niet lang daarna is m'n opa ziek geworden,
maagkanker. Zeventig jaar was ie, en ik was bijna
elf. Ik zie nog voor me hoe hij op een brancard
de trap werd afgedragen. Daarna heb ik 'm niet
meer gezien, ik ben nooit naar het ziekenhuis geweest. 'Kleine kinderen horen daar niet,' zei opoe.
Toen tante Grietje bij hem op bezoek kwam –
zo uit die viswinkel van haar – vroeg m'n opa of
ze in het vervolg voordat ze kwam die kleren uit
wou doen. Hij kon die lucht niet meer verdragen,
z'n maag kon er niet tegen.
    Toen ie doodging, twee maanden later, moes-
ten alle kinderen naar het Weesperpleinzieken-

huis komen. Rinus Colenbrander stond ook aan z'n bed. 'Die Rinus moet eruit,' zei m'n opa, 'want anders kan ik niet sterven.'

De anderen hebben toen afscheid van hem genomen. 'Het ergste vind ik dat ik jullie moeder en die meid achter moet laten,' zei hij. Die meid was ik dan. Dat bedoelde hij niet ruw hoor, juist niet. Hij wist dat ik niet bij m'n opoe kon blijven, want die kon niet voor mij zorgen, en waar moest ik dan naartoe?

M'n opoe heeft geen afscheid van hem genomen; ze kon nauwelijks meer lopen. Daarom is ze ook niet naar de begrafenis geweest en ik was er te jong voor, dat deed je toen niet. Hij is op Vredehof begraven, ik ben er later nog een keer geweest.

De duiven van opa moesten weg, die werden verkocht. Maar ze kwamen nog wel steeds naar ons platje gevlogen, daar zaten ze dan droevig te koeren. Ze maakten me nog verdrietiger dan ik al was. M'n opoe sprak met geen woord meer over m'n opa, dat vond ik raar, ze hadden het toch altijd goed gehad, samen? Ze deed net alsof hij nooit bestaan had.

Na opa's dood was ik gauw jarig. Hij zorgde er altijd voor dat ik snoep had om op school te trakteren. 'Ik moet morgen wel snoep hebben,' zei ik tegen opoe. Dat vond ze niet nodig, maar ik wou het. Toen ben ik voor schooltijd zelf toffees gaan kopen, vanilletoffees van Van Melle, ik weet het nog goed.

In die tijd gingen ineens mijn ogen achteruit, ik kreeg moeite met lezen, en dat kon ik juist altijd goed. Ik ben er nog voor naar een oogarts geweest. Verdriet kan op je ogen slaan, zei die dokter, maar hij zei erbij dat het wel gauw over zou gaan. Dat was ook zo.

Toen kwam de eerste Sinterklaasoptocht waar ik niet meer met m'n opa naartoe kon. Bij mij in de klas zat de dochter van Ger Faber, die man speelde in het Lidy-trio, dat was toen een bekend orkestje. Haar moeder zei dat ik wel met hun mee mocht, dan kon ik daar meteen ook mijn verjaardag vieren. Maar ik ben niet gegaan en ik heb ook niets van me laten horen, ik heb die lieve mensen gewoon voor niks laten wachten. Ik durfde mijn opoe niet in de steek te laten en ik durfde het ook niet te zeggen.

Met de kerst gingen we altijd aan het Singel een boompje kopen, op de laatste dag, dan waren ze goedkoop. Maar m'n opoe was dus invalide, die kon niet mee naar de markt. 'Maar ik *wil* een kerstboom,' riep ik. Tante Grietje kwam binnen en gaf me klappen. 'Wat zullen we nou hebben, opoe is net haar man kwijt en dan ga jij hier een beetje over een kerstboom zitten zeuren!' We hadden dus geen boom, die kerst.

Met oud en nieuw kwamen m'n ooms en tantes altijd op bezoek, dat vertelde ik al, maar uitgerekend dat jaar kwamen ze niet. Ik weet niet waarom, maar we waren met z'n tweetjes. Opoe had een flesje bruidstranen, van die likeur met gouden vlokjes erin. 'Laten we allebei maar een slokje nemen,' zei ze, 'dan kunnen we lekker slapen.' Ze vertelde van heel lang geleden, van toen haar moeder nog leefde. Die stierf toen ze nog een klein meisje was. Ze waren in die dagen nog in goede doen, 's zondags gingen ze bijvoorbeeld op familiebezoek en dan huurden ze een aapjeskoetsier en reden ze 'met de klesj'. Ze kon het woord calèche niet zeggen. Ze droeg dan een klein zilveren gehaakt beursje, vertelde ze, en daar kreeg ze wat centjes in.

Ik was bang dat ik zou vergeten hoe of mijn opa eruitzag, foto's hadden we niet. 's Nachts, onder de dekens, deed ik mijn ogen stijf dicht en dan probeerde ik zijn gezicht goed te onthouden, met dat krullende haar van hem en die jampotjesbril. Hij had een heel lief gezicht. Het was ook een lieve man. Voor mij tenminste, m'n neefjes en nichtjes vonden hem erg streng. Maar mij ver-

wende hij. En hij troostte me als ik bijvoorbeeld
een kopje had gebroken. 'Geeft niet, kind, brand
is erger.' Hij had meer van die aparte uitdrukkin-
gen: 'Ik weet wat goed is en wat slecht, en dat is
het belangrijkste in het leven.' En hij had nog zo'n
zinnetje: 'Een goed kind regeert z'n eigen.' Die
woorden zijn m'n leidraad geworden.

Het gezicht van m'n opoe kan ik ook zo voor
me halen. Het was een klein dik wijffie. Ze droeg
altijd een boezelaar en ze had een knotje, boven
op haar hoofd, zoals veel vrouwen in de Jordaan.
Heel dun haar had ze. 's Ochtends zette m'n opa
haar in de keuken op een kruk voor de gootsteen,
trok haar nachtpon uit, dan zat ze alleen in d'r
lijfje aan het aanrecht, en dan maakte ze d'r haren helemaal nat, en met behulp van een uitje –
zo heette dat ding, een rondje van gaas – maakte
ze er een dotje van. De losse haren zette ze met
spelden vast. Ze liep met een stok. Als ze op d'r
stoel zat, tikte ze altijd met die stok op de grond,
dat werkte op m'n zenuwen.

Gelukkig heb ik later nog twee foto's van ze
gekregen, een uitvergrote pasfoto van m'n opa en
een verkreukeld fotootje van m'n opoe in haar
boezelaar. 'Als je d'r een beetje aankleedt,' zei tante Annie, 'wordt het gelijk een andere vrouw.'

Toen m'n opoe niet lang na opa's dood voor een longontsteking naar het Binnengasthuis moest, kwam m'n moeder een tijdje bij mij in huis. Zij en ik samen onder één dak, dat was nog nooit eerder gebeurd. Ze wou in die tijd scheiden van Rinus, maar Rinus wou niet. Hij stond te schelden, boven voor de binnendeur, maar wij, m'n moeder en ik, deden niet open. Toen trapte hij de deur in. Ik probeerde nog langs hem heen naar boven te vluchten, maar hij hield me tegen. 'Hoho, dat gaat mooi niet door.' Hij had soepzooi meegenomen, groente, mergpijp en vlees. 'Hier,' zei hij tegen m'n moeder, 'hier ga jij snert van koken, en als ik morgen terugkom, dan staat die soep klaar.' Hij stopte hun trouwboekje in z'n zak.

De volgende dag kwam ie terug, er waren schilders bezig de trap te schilderen. Hij belde netjes aan. M'n moeder had drie tantes van me opgetrommeld, tante Annie, tante Grietje en tante Rietje. Eentje had de deksel van de potkachel in d'r hand, de tweede een pook, de derde een grote glazen asbak, waar zo'n lucifersdoosje op past. 'Is de snert klaar?' riep Rinus. Toen kwamen ze met z'n drieën tevoorschijn. Hij moest eerst het trouwboekje teruggeven en toen hebben ze 'm een pak rammel gegeven, de schilders hadden nog nooit iemand zo snel van een trap zien rennen.

Niet lang daarna is m'n moeder van hem gescheiden. Ze ging werken in een café op de hoek van de Nieuwmarkt en de Lange Niezel. Daar woonde ze in bij de kastelein en daar heeft ze toen ome Klaas ontmoet, die werkte in de bouw en kwam daar altijd een borrel halen. Hij was 23 jaar, m'n moeder 36. Het was een hele forse man, hij kwam uit een tuinderij in de kop van Noord-Holland en hij was naar Korea geweest. Nu zat hij dus in de bouw. Katholiek was ie.

En ik, zo jong als ik was met m'n elf jaar, ik heb toen in m'n eentje voor m'n opoe gezorgd, toen ze terug was uit het Binnengasthuis. Dat heb ik twee jaar lang gedaan. Ik deed alle boodschappen, maakte het huis schoon en sorteerde de was. Die werd door de gemeente gewassen. M'n opoe had ook suikerziekte, daar had ze wonden van aan d'r benen, zo groot als een rijksdaalder. Die maakte ik altijd schoon en dan verbond ik ze. Zei de wijkzuster: 'Wat heeft die kleindochter van u dat weer netjes gedaan!'

Ik waste d'r ook. Als ik haar rug deed, was het net een landkaart. Dat kwam van die kan kokende koffie die ze over zich heen had gekregen, toen ze als klein meisje voor haar vader moest zorgen die aan de drank was, en voor z'n vriendin.

's Middags om vijf uur maakte ik met wat spiritus de kachel aan. Ik weet nog dat ik een keer met een vriendinnetje op straat wou gaan spelen. 'De kachel is nog niet aan,' zei opoe. 'Nou, dan moet u nog maar effe wachten,' zei ik, 'ik ga eerst buiten spelen.' Daar voelde ik me daarna wel schuldig over, dat weet ik nog goed.

Opoe schilde de aardappelen, dat kon ze zittend; ik moest alleen de pan op het vuur zetten en afgieten. Maar ik kreeg de Aziatische griep, die kwam uit China. Doodziek was ik, ik lag te ijlen in de alkoof, met hoge koorts. M'n opoe kwam op een avond zeggen dat ik de melkfles even onder de kraan moest zetten, zij kreeg 't niet voor elkaar en anders zou die melk zuur worden, want we hadden natuurlijk geen koelkast. Toen ben ik in de keuken flauwgevallen en toen ik bijkwam, kon ik niet meer opstaan, zo zwak was ik. M'n opoe schreeuwde naar de buren aan de straatkant om hulp, waarna die buurvrouw meteen naar het café van m'n moeder op de Lange Niezel is gegaan om te zeggen dat ze gauw moest komen om voor d'r moeder en d'r kind te zorgen. 'Je denkt toch zeker niet dat ik hier zomaar weg kan, je ziet zelf hoe druk of ik het heb,' zei m'n moeder. Ze kwam mooi niet. Toen heeft die buurvrouw ons geholpen.

Ik ben ook nog voor een paar maanden naar tante Trien verhuisd, in de Kinkerbuurt, omdat m'n opoe weer een keer naar het ziekenhuis moest en ik niet alleen in dat huis kon blijven. Trien was in d'r huwelijk rooms geworden, roomser als de paus. Ik moest het katholieke Onze Vader leren en Wees Gegroetjes, maar dat heb ik maar niet aan m'n opoe verteld. Ik ging daar bij de nonnetjes naar school. Krengen waren dat, zonde dat ik het zeg. Ja, hou me ten goede, ik zal heus geen lieverdje geweest zijn en van m'n opa had ik natuurlijk geleerd dat paaps niet deugt, dus het zal ook wel aan mij gelegen hebben, maar het ging niet goed op die school. Toen hebben ze me nog even op een christelijke school gedaan, op het Bellamyplein. Daar had ik het wel fijn, ze vertelden dezelfde mooie verhalen als op de zondagsschool van het Leger des Heils.

Na drie maanden ging ik weer terug naar mijn oude school op de Albert Cuyp. Ik had dus wel wat afgezworven, al die tijd, maar aan het eind van het schooljaar kreeg ik toch een mooi rapport: 'Ondanks het feit dat zij een trimester gemist heeft...' stond erbij. Dat woord kende ik niet, maar ik was er wel trots op. En ook dat er stond 'deze lieve, knappe en trouwe leerling'. Ik heb dat rapport altijd bewaard. M'n opoe kon niet schrijven, dat vertelde ik al, dus kon ze ook geen handtekening zetten op dat rapport. Dan hield ik haar hand vast en dan tekenden we samen.

Na mijn laatste schooljaar, vlak voor de grote vakantie kwam de bovenmeester bij ons op bezoek. 'Dat kind kan goed leren, ik zou graag zien dat ze naar de Kweekschool voor de Detailhandel gaat.' 'Wat is dat voor een beweging?' vroeg m'n opoe. Ze vond 't maar niks: 'Aaltje kan beter leren koken.' Ik ben toen wel naar het zevende en achtste leerjaar gegaan van de VGLO, Voortgezet Lager Onderwijs.

Wel jammer eigenlijk, dat ik niet naar die kweekschool ben gegaan. M'n opoe vond doorleren voor een meisje niet zo nodig en de rest van de familie bemoeide zich er niet mee. Zelf was ik altijd bang om me aan iets nieuws te wagen, dus ik liet het maar zo. Maar een paar weken terug moest Bianca, m'n dochter, voor een sollicitatie een intelligentietest doen. 'Zo leuk, mam.' Toen dacht ik: dat zou ik eigenlijk ook nog wel 's willen. Bij m'n laatste test was ik vier jaar oud en toen had ik het verstand van een kind van zes. Misschien heb ik nu wel het verstand van iemand van tachtig!

Bij tante Annie

De familie had bedacht dat ik niet in m'n eentje voor opoe kon blijven zorgen en daarom ben ik op mijn dertiende bij tante Annie gaan wonen, in de Dulongstraat, vlakbij het Amstelstation. Toen ik veertien werd, halverwege het achtste leerjaar, was ik niet leerplichtig meer en moest ik van m'n tante gelijk van school af, ze wou dat ik ging werken. Ik heb nooit goed begrepen waarom de voogdijvereniging dat toen goed heeft gevonden, ik was graag op school gebleven. Opoe was toen naar de Albert Cuyp verhuisd, m'n moeder en ome Klaas trokken bij haar in. Ome Klaas zette er z'n motorfiets in de slaapkamer, het stonk er naar benzine. Ik kwam te werken bij de familie Kopuit, een Joodse familie aan de Churchilllaan. Dat liep via het arbeidsbureau. Het was m'n eerste dienstje.

Op een dag kwam de kapelaan van ome Klaas op bezoek bij tante Annie, voor informatie over mijn moeder, want die wou katholiek worden.

Dat wou ome Klaas natuurlijk, dat ze dat werd. Toen heeft m'n tante die kapelaan verteld dat m'n moeder een verleden had en een dochter, dat wist hij allemaal niet. Dat katholiek-worden is toen niet doorgegaan.

Na een tijdje zijn ze wel getrouwd. Ik kan me er niet veel van herinneren, van die trouwdag, maar ik weet nog wel dat de vader van ome Klaas wou dat ik hem zoende. 'Nou kan jij mij wel een zoen geven' zei hij, 'want wij zijn nu familie.' Maar ik moest er niet aan denken, ik vond het een vieze man.

M'n moeder en ome Klaas zijn toen in Broek op Langendijk gaan wonen en je zal het niet geloven, maar ze namen alles uit het huis van opoe mee, de pannen, het gasfornuis met slang en al, alles wat los- of vastzat. Toen ze vertrokken waren, stond er alleen nog een rol beschuit. De buren belden tante Annie op om te zeggen dat m'n opoe zonder iets in dat huis zat. Toen ben ik nog weer een poosje voor haar gaan zorgen, op de Albert Cuyp. Nadat tante Trien van d'r man gescheiden was, trok zij met haar kinderen bij opoe in en ik ging terug naar tante Annie.

M'n moeder ging werken in een chipsfabriek bij hun in de buurt, ome Klaas zat nog steeds in de bouw. Hij teelde zijn eigen groente en hij peurde paling. Hij rookte ze ook. In het weekend trok hij met een attractie langs de kermissen, met zo'n touwtjetrek, altijd prijs. Dat ding had ie uit een erfenis gekregen.

De voogdijvereniging wou dat ie voor mij ging betalen, hij en m'n moeder. Toen kwam ome Klaas naar m'n tante: 'We komen Aaltje ophalen, want we moeten voor haar gaan betalen, nou, dan kan ze evengoed bij ons komen, kan ze er nog wat voor doen, voor dat geld.' Ik ben niet gegaan, natuurlijk. Het had ook niet gekund, vanzelf, m'n moeder was uit de ouderlijke macht ontzet.

Ik had het niet zo fijn bij tante Annie, ze sloeg me. Maar ze had het zelf ook zwaar, hoor, met die man die haar mishandeld had. Eerlijk gezegd denk ik dat ze 't ook voor het geld deed dat ze voor mij van de voogdijvereniging kreeg. En ze nam het niet zo nauw. Dan kocht ze bijvoorbeeld van mijn kleedgeld een bloes en een rok, maar op die bon stond natuurlijk niet voor wie of die rok en die bloes was. En ze kocht een duur bankstel, van mooi teakhout, op de reutel natuurlijk, en dan kwam die man elke maand z'n geld halen. Maar toen die man na een paar maanden stierf en een ander om het geld kwam, beweerde ze doodleuk dat alles was afbetaald. Dat zou m'n opa nooit goedvinden.

Ik heb anders wel veel van haar geleerd, dat moet ik haar nageven: bijvoorbeeld dat je met mes en vork moet eten en dat je moet wachten met eten tot iedereen zich heeft opgeschept. Al die manieren had zij zelf in haar dienstjes geleerd. Ze kende ook dure woorden, een hemdje noemde ze bijvoorbeeld een kamizool. 'Doe 's effe normaal,' zeiden d'r zussen dan.

Ik zat dus bij die Joodse familie Kopuit. Als ze op sjabbes naar sjoel gingen, paste ik op hun twee kinderen, leuke kinderen. Ik verdiende er twaalf en een halve gulden in de week, maar toen ik vijftien werd, moest dat het dubbele worden, en toen moest ik weg, dan namen ze liever een goedkope stagiaire. Heleentje vond 't zo naar dat ik weer weg moest, vijf jaar was ze. Ik had daar m'n pantoffels liggen en een schort, die wou ik weer meenemen, toen ik wegging. Maar Heleentje ging bovenop die pantoffels liggen, samen met d'r broertje, dan kon ik niet weg.

Daarna ging ik werken bij de familie Da Silva op de Stadionkade. Die man was bankier, z'n vrouw was een Française. Hele lieve mensen waren dat. Ze hadden een Schotse collie, Linda heette die. Met die mevrouw kon je fijn praten. Ik vertelde haar dat ik naar mijn moeder heet, Alida, en dat ik dat naar vond. In mijn familie hadden ze het altijd over grote Aal en kleine Aal. Dat deed zeer, want dan kwam het heel dichtbij, dat ik haar dochter was, en ik wou in niets op m'n moeder lijken. 'Wat zou je dan een mooie naam vinden?' vroeg mevrouw Da Silva. 'Linda,' zei ik. 'Dan noem ik jou voortaan Linda,' zei ze. En nu noemt iedereen me zo.

Die man van haar was ook heel aardig. Op zaterdag reed ie me altijd even naar huis, in z'n grote Dodge. Zo'n mooie auto was dat, ik voelde me net prinses Beatrix.

Af en toe ging ik tante Trijn opzoeken. Daar was het nog steeds pure armoe, ome Toon dronk alles op. Katholiek was ie. Omdat ik kon schrijven moest ik een keer een brief schrijven naar het klooster aan de Jacob van Lennepkade. 'Geachte kapelaan,' zette ik erboven. Dat had ik op school geleerd, dat je een brief altijd moet beginnen met Geachte en eindigen met Hoogachtend. Tante Trijn en ome Toon konden hun ogen niet geloven toen ze me zagen schrijven, alsof ze water zagen branden, dat ik dat kon! 'Geachte kapelaan, m'n tante heeft geen eten meer en m'n oom kan niet naar de kerk omdat ie geen pak heeft om aan te trekken.' Een paar dagen later stond de kapelaan op de stoep. Ze hebben nog gauw hun Mariabeeldje neergezet, zo'n ding onder een stolpje dat licht geeft als je 'm in het stopcontact doet. Tante Trijn kreeg een tientje van de kapelaan en ome Toon mocht een tweedehandspak uitzoeken bij de Vincentiusvereniging. Stapte ie gelijk mee naar De Grote Slok.

De Laurierstraat in de Jordaan in 1922.

De Wijde Gang – die niet wijd was – lag destijds tussen de Westerstraat en de Palmgracht.

Heck's Restaurant aan het Rembrandtplein – later Ruteck's – waar mijn moeder en tante Annie woorden kregen.

Foto van 7 mei 1945. Dankzij tante Grietje werd mijn moeder niet kaalgeknipt.

De water- en vuurwinkel in de Tuinstraat

De Boldootkar

De Grote Slok in de Kinkerstraat waar ome Toon z'n geld verdronk.

Eerste klas van de kleuterschool in de Jacob van Lennepstraat. Ik zit op de voorste rij, tweede van links. De naam van de juf ben ik vergeten.

De Joodse zuurkar

Bij slagerij Het Vette Varken kochten
tante Annie en ik voor m'n opoe een
snoetje: een warme halve varkenskop.

Zo liep mijn opoe, met haar viskar.

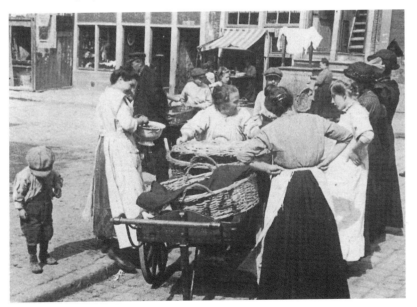

Mijn school in de Albert
Cuypstraat. Er zit nu een
boksschool in.

Schoolfoto in de vierde
klas van de Albert Cuyp-
school bij juf Stijn, 1956.
Mijn moeder was een jaar
eerder weer opgedoken, in
Katendrecht, en de hospes
bij wie zij in huis zat, had
kennelijk met mij te doen,
want hij kwam af en toe
een trosje bananen brengen
en ook een keer dit mooie
truitje. Het was me intussen te klein geworden,
maar voor de schoolfoto
moest en zou ik het aan.

M'n opa met z'n jampotjesbril.
Een uitvergrote pasfoto.

M'n opoe met haar boezelaar. Dit zijn de enige
foto's die ik van die twee heb.

Tehuis voor werkende meisjes van het Leger des Heils aan de Weesperzij.

Avondvierdaagse 1965. Naast mij loopt luitenant Groefe, 'de engel naast m'n bed'.

Het Sarphatihuis, vlakbij Artis, waar tante Annie haar laatste dagen sleet.

Zonnig Madeira

Ik zat dus bij tante Annie en na een poos kwam opoe ook bij ons wonen. Het was een nare tijd, dat vertelde ik al. Ja, ik werd dan wel met Sinterklaas in een gedicht de hemel in geprezen, maar kort daarna draaide m'n tante weer driehonderd graden om, dan knapte er iets bij haar van binnen en dan deugde er weer niets van me. Nu was ik waarschijnlijk wel een verwend kind en ook een beetje vrijgevochten. En ik wou niet dat ze aan me zat. Na de dood van m'n opa kon ik niet makkelijk liefde ontvangen, ik denk dat dat het ook was, ik hield de boot af. Dat heeft ze niet fijn gevonden, tante Annie, dat begrijp ik best.

Toch heb ik ook wel goede herinneringen aan die tijd, hoor. Ome Freek, d'r tweede man, ging zaterdagsmiddags altijd klaverjassen in een café aan de Oosterburgergracht. Tante Annie ging eigenlijk nooit uit, maar twee keer in het jaar kreeg ze ineens de kriebels, dan wou ze naar de kroeg en dan moest ik met haar mee.

Dan gingen we naar café De Blauwe Druif op de Lindengracht en daar dronk ze een paar cb'tjes, citroenbrandewijn met suiker. Ik nam een flesje gazeuse of chocolademelk, ik was nog een kind. Op een gegeven moment klom tante Annie op het biljart en dan deed ze een dansje. Ze tilde haar rok een beetje op, maar nooit hoger dan d'r knie. Dat kon ze heel elegant. 'Als er iemand aan me komt, is ie nog niet jarig,' waarschuwde ze de kerels. Nou, die keken wel uit. En dan zong ze een lied, tante Annie, altijd hetzelfde lied:

> *In de holen zitten ze verscholen,*
> *in de nachtkroeg van donker Parijs,*
> *hoor ze lachen, het zijn de Apachen,*
> *het zijn de Apachen van donker Parijs.*

Daarna zong ze nog 'Zonnig Madeira, land van liefde en zon.'

Van tevoren waren we bij slager Louwman in de Goudsbloemstraat langs geweest, daar kocht de hele Jordaan gehakt, half om half. Ze hadden er ook lekkere snijworst. En bij slagerij In 't Vette Varken achter de Palmgracht haalden we altijd in een grote papieren zak een warme halve varkenskop, een snoetje heette dat, de damp sloeg ervan af. Soms zaten de tanden er nog in. Als we thuiskwamen kreeg m'n opoe gelijk die halve varkenskop, dan vroeg ze niet waarom we zo laat waren. Ze was dol op lekker eten, vooral als het vet was, het droop van d'r kin. Als ome Freek terugkwam van het klaverjassen vertelden we niet dat we waren wezen stappen en ook opoe hield d'r mond.

Maar goed, het was daar voor mij dus geen land van liefde en zon, in de Dulongstraat, we kregen steeds vaker ruzie en toen het uit de klauwen liep, wou ik ineens niet meer eten. 'Ik ben zo misselijk,' zei ik dan. Ik viel flink af, maar dat heeft gelukkig maar kort geduurd. Ik denk dat ik ook jaloers was. De dochter van haar dochter kwam daar in huis en die kreeg mooie cadeaus, een poppenwagen bijvoorbeeld, en ik werd met een paar pantoffels afgescheept.

Ik kreeg borsten en m'n tante vond dat ik daarmee te koop liep. 'Je lijkt je moeder wel.' Dat was nu net wat ik niet wou: op m'n moeder lijken. Als je foto's van mij ziet van toen, dan zie je dat ik altijd mijn borsten verstop. Nee, het was echt een nare tijd.

Af en toe maakte ik een uitstapje met een mevrouw van de voogdijvereniging. Dan gingen we bijvoorbeeld naar een film in de Alhambra en daarna kreeg ik een ijsje. Een van die voogdessen heeft toen een keer gezegd dat het misschien beter was als ik naar een tehuis ging.

Een mevrouw bij wie ik in de huishouding werkte, zei dat ik nodig naar de dokter moest – ik had in die tijd zo'n last van m'n maag en dan brak het zweet me uit. M'n tante dacht dat ik zwanger was, maar dat was onzin, ik had nog nooit een jongen gezoend. Ze is toen met me naar de dokter gegaan, dokter Moes heette die vrouw. Ik ging alleen naar binnen. Zij vroeg ook of ik met een jongen naar bed was geweest. Echt niet, zei ik. Ik moest maar warme melk drinken, zei ze. Toen we weggingen hoorde ik haar zachtjes tegen m'n tante zeggen: 'Zwanger is ze niet, hoor.' Daar was ik best trots op. Ze had me niet eens inwendig onderzocht, die vrouw, ze vertrouwde me gewoon.

Op een keer kwam m'n moeder bij ons op bezoek. Ze vroeg of ik even met haar mee wou gaan naar het postkantoor, ze moest een formulier invullen en ze kon nog steeds niet lezen en schrijven. Ik vulde het formulier voor haar in. Toen ik klaar was riep ik door dat hele postkantoor: 'Ik heb het hele formulier voor u ingevuld, hoor.' Dat was heel onaardig van mij, ik deed het echt om haar voor schut te zetten. M'n moeder was loenig, dat kun je begrijpen: 'Vieze, vuile etter!' Ze heeft trouwens nooit leren lezen en schrijven. Toen de kinderen nog klein waren, ben ik een keer met ze naar haar toe gegaan, in Broek op Langendijk, ze zat naar *Peyton Place* te kijken. 'Moet je nou 's zien,' zei ze, 'dokter Rossi heeft een vriendin.' Ze kon nog steeds geen letter lezen en dus ook geen ondertitels, maar ze had schijnbaar genoeg Engels geleerd van de Canadezen en van de zeelui op Katendrecht.

Tante Annie wou dat ik in de avonduren ook nog ging werken: kantoren schoonmaken bij de Nederlandse Handelsmaatschappij in de Vijzelstraat. Dat vertelde ze niet aan de voogdijverenigin; de centjes stak ze in d'r zak. Ik heb haar niet verlinkt, zoals ik haar ook niet verlinkte met dat gesjoemel met mijn kleedgeld en met dat teakhouten bankstel. Ik kon ook weinig anders.

In die schoonmaakploeg van de Handelsmaatschappij zat een jongen die met mij naar de bioscoop wou. Ik mocht achterop z'n brommer. Tante Annie vond het wel goed, maar toen ik te laat thuiskwam heeft ze me gemept, ze sloeg wild om zich heen met een schort vol knopen, ik weet het nog goed. Later heeft ze wel gezegd dat ze me niet had moeten slaan, dat ze d'r geen rem op had. Maar goed, toen heeft de moeder van die jongen met wie ik naar de bioscoop was, gezegd dat ik weg moest bij m'n tante en dat ik er werk van moest maken.

Op m'n vijftiende kreeg ik een gitaar, en ik kreeg gitaarles bij Dijkman, dat betaalde de voogdijvereniging. Toen we weer een keer ruzie hadden, heeft m'n tante die gitaar op mijn hoofd kapot geslagen. Opoe was kwaad: 'Als je dat kind nog één keer aanraakt!'

Op een avond ben ik weggelopen, het was in de herfst. Maar waar moest ik naartoe? Toen ik een uur later terugkwam was de deur op slot en ze deden mooi niet open. Ik heb de hele nacht buiten in de kou op de vuilnisbak gezeten.

Nee, het ging niet meer, m'n opoe werd er ook nerveus van. Ik geloof dat zij het toen aan de Voogdijvereniging heeft verteld, dat het niet ging. En zo belandde ik in een tehuis van het Leger des Heils, aan de Weesperzij.

Een engel naast m'n bed

Een tehuis voor werkende meisjes was het. Ik lag er met zes meisjes op een zaaltje, later kon je er een kamer alleen krijgen. De eerste dagen was ik erg ongelukkig. Het was allemaal zo nieuw en er lag een meisje bij ons op zaal die had in haar polsen gesneden, die zag het niet meer zitten. Ik lag 's nachts stilletjes te huilen in m'n bed, onder de dekens. Luitenant Groefe hoorde het, dat was een lieve vrouw. Ze kwam naast m'n bed staan, in een lange witte nachtpon, d'r haar was los, nu. Ze troostte me. Dat was me in lange tijd niet overkomen. Het was net alsof er een engel naast m'n bed stond, zo voelde het. Dat was een omslag; van toen af ging het beter met me. Ik kan er nog van volschieten. Luitenant Rozendaal was ook lief, maar die kon het niet zo uiten.

Ik kwam bij dokter Korff te werken, Eerste Helmersstraat 95. Huisarts was ie en z'n vrouw was z'n assistente. Ze waren apostolisch en ze namen altijd meisjes van het meisjeshuis van het

Leger des Heils. Hele aardige mensen waren dat. Dokter Korff opende meteen een spaarbankboekje voor me, daar zette hij iedere maand wat geld op en dat kreeg je dan als je uit het meisjeshuis ging. Daar wisten ze van, bij het Leger.

Tussen de middag aten we warm, dan ging dokter Korff aan tafel voor in gebed. Dat was mooi. 's Avonds aten we in het tehuis ook warm. Als ik 't niet lekker vond, zei ik: 'Ik heb vanmiddag al warm eten gehad.' Dan kreeg ik brood.

Ze hadden veel personeel bij dokter Korff: een verstelster, een eerste meisje voor het zware werk, een tweede meisje voor het lichte werk en een werkster voor het grove werk. Er was ook een ongehuwde nicht, die runde het hele huisgezin. Tante Bep was de naaister. Toen die hoorde dat ik in de Dulongstraat had gewoond, zei ze: 'Ben jij dan dat meisje dat een nacht lang op de vuilnisbak heb gezeten?' Ze had namelijk een nichtje in de Dulongstraat wonen. Ik was zo blij dat ze dat zei. Het was een bevestiging dat het allemaal echt gebeurd was, want je gaat wel 's twijfelen aan je eigen.

Bij de voordeur van het doktershuis stond een kistje met geld, daar moesten we de bakker en de melkboer van betalen. De groenteman kwam ook aan de deur. 'Ik vertrouw je,' zei mevrouw

Korff, 'maar als ik merk dat je steelt, dan is het over en uit.' Goed vond ik dat. Ze vertrouwde je, het was een lieve vrouw.

In het meisjeshuis kregen we sodazeep, maar van haar kreeg ik altijd een stuk luxere zeep. Ze wilden me zelfs als kind in hun gezin opnemen, maar daar was ik jammer genoeg te oud voor. Voor m'n verjaardag kreeg ik een ansicht van mevrouw Korff. 'Van je tweede moeder,' stond erop. Die kaart ben ik kwijtgeraakt door mijn echtscheiding, dat vind ik nog altijd jammer.

Woensdagavond had ik vrij. Dan ging ik meestal even naar m'n opoe toe, die zat nog steeds bij tante Annie. Dan stond de strijkplank al klaar, kon ik gelijk gaan strijken. Op een keer stootte ik er tegenaan en toen die bout dreigde te vallen, hield ik hem met mijn bovenarm tegen. Ik kreeg een lelijke brandwond. De maatschappelijk werkster van het Leger des Heils dacht toen dat ik er misschien mishandeld werd. 'Was het echt jouw schuld, van die hete bout?' wou ze weten. Ze heeft er ook een keer wat van gezegd dat ik van die afgekloven nagels had. 'Ik zie dat je erg zenuwachtig bent.' Ik zei niks, ik wou m'n tante niet verlinken. Je mag nooit iemand verlinken, dat had ik goed in m'n oren geknoopt na die toestand van m'n moeder in de Ruteck's, die tante Annie dreigde aan te geven bij de Ortskommandant. Toen ik een keer wou dat m'n opoe iets verklikte, zei ze: 'Nee, dat zeg ik niet, want *ik* heb niet aan een verradersborst gezogen.' Daar had ik trouwens ook niet aan gezogen, ik kreeg de afgekolfde melk van m'n opa.

's Zondags gingen we met alle meisjes van het huis naar de kerkdienst van het Leger des Heils in de Gerard Doustraat. Daar liepen we dan in ganzenpas naar toe. Dan waren er altijd jongens die ons gingen jennen, maar daar trok ik m'n eigen weinig van aan. Af en toe ging ik met het muziekkorps van het Leger mee. We speelden vaak voor het hek van het Sarphatipark en dan gooiden jongens vanuit de bosjes kastanjes in die grote toeters. Ik had dan ook zo'n pakkie van het Leger aan, maar eigenlijk was dat niks voor mij. Een meisje waar ik veel mee optrok, ging wel in het Leger.

Het geloof zei me niet zoveel, maar er heerste altijd wel een fijne, warme sfeer. Ze zeiden steeds dat we goed moesten oppassen en niet roken en drinken, maar dat wist ik al en ik wou het ook niet. Misschien was dat wel uit angst, want ik was altijd bang dat ik net als m'n moeder zou worden. Ik kan niet zeggen dat ik niet geloof, ook niet dat ik wel geloof. Ik denk altijd maar aan m'n opa:

als je weet wat goed is en wat slecht, dan is het in orde. Wanneer ik ergens op vakantie ben, steek ik wel graag een kaarsje op, voor iemand die ziek is of zo.

In de kerstnacht gingen we altijd naar de samenkomst. Als we dan weer thuiskwamen op de Weesperzij, midden in de nacht, stonden alle tafels gedekt en dan was er warme chocolademelk en kerstbrood. Nooit heb ik mooier kerstfeest gevierd als toen. De volgende dag kregen we een heel kerstdiner en ik heb een keer aan een kerstspel meegedaan. Majoor Bosshardt was er ook altijd.

Het Leger had een zomerhuisje in IJmuiden. Omdat ik geen thuis had, mocht ik vaak mee, in het weekend. Toen ik ouder werd, ging ik ook mee om op de jongere meisjes te passen. Het was een fijn huisje, aan het strand. Toen luitenant Groefe – die engel – verkering kreeg met een heilsoldaat, gingen we die met z'n allen van de trein halen. Als ie uitstapte draaiden we ons even om, konden ze mekaar zoenen. Als ze 's avonds afscheid namen, ging het weer zo.

Er waren twee huiskamers aan de Weesperzij, een voor de meisjes van veertien tot zestien jaar, een voor de meisjes van boven de zestien. Iedere zaterdag konden we bij de kapitein zakgeld halen, vijf gulden. Later werd het een tientje. De boetes werden eraf getrokken, bijvoorbeeld voor als je je jas verkeerd had opgehangen of te laat aan tafel was gekomen of 'm gesmeerd was als je moest afwassen. Dat kostte je dan een kwartje. De kapitein maakte meestal meteen een praatje met je, hoe het met je ging en zo. Soms kreeg je een standje, maar ze was ook best gul met complimentjes.

Vijf jaar ben ik bij ze geweest. Ik heb veel aan ze te danken, ze waren hartelijk en leefden met je mee, ze gaven je een gevoel van eigenwaarde. Ik volgde een typecursus en een cursus koken en ik zorgde ervoor dat ik geen rare dingen deed. Ik mocht ook wel naar een avondschool om hogerop te komen, maar ik was altijd een beetje bang voor nieuwe dingen en ik had het fijn in het doktersgezin. 's Avonds deden we vaak spelletjes. Met kerstmis stond ik bij de kerstpot van het Leger des Heils en ik hielp ook mee om het Zeeburgerhuis voor mannelijke daklozen schoon te maken. Dat was allemaal liefdewerk.

Er waren meisjes in het huis die rookten en met jongens gingen, soms van de een naar de ander, maar dat wou ik niet. Ik ging ook nooit een café in, ik wist maar al te goed welke ellende daarvan kan komen. Ik hoefde m'n eigen nooit een rem op te leggen. Ik wou immers maar één ding: niet als m'n moeder worden.

Getrouwd

Wanneer je eenentwintig werd, moest je weg uit het huis aan de Weesperzij, je kon er niet blijven. Daar zag ik wel tegenop. Ze waren net bezig iets anders voor me te verzinnen toen ik Evert ontmoette, ik was bijna twintig. Ik zag hem in een koffiehuis aan de Wibautstraat. Ik was daar met een ander meisje uit het huis naartoe gegaan, die hielp daar wel eens. Hij had een witte overall aan, hij werkte in een vrieshuis voor vlees. Later zat hij in de bouw, als sloper. Hij was twee jaar ouder als ik.

Ja, achteraf gezien had ik beter moeten uitkijken, natuurlijk, maar het was een aardige jongen, die net als ik veel voor z'n kiezen had gehad. Toen hij nog maar klein was, had z'n moeder met hem in een soort 'Blijf-van-mijn-lijfhuis' gezeten. Ik kon het goed met haar vinden en ook met z'n tweede vader.

Op m'n eenentwintigste raakte ik in verwachting, maar we waren toen al in ondertrouw, dus het was niet zo dat we móesten trouwen. Achteraf denk ik wel dat het ook een beetje een vlucht van me was, dat ik vastigheid zocht. Dokter Korff constateerde dat ik zwanger was. Z'n ongehuwde nicht, die daar in huis alles regelde – zwaar apostolisch – vond het erg zondig, die keek me niet meer aan. Maar mevrouw Korff was heel lief voor me. Ze wist bijvoorbeeld dat het Diaconessenhuis aan de Overtoom net werd opgedoekt: 'Kind, daar hebben ze mooie wiegjes voor je.' Die apostolische nicht is later trouwens helemaal bijgetrokken, hoor, want toen ik Bianca na haar geboorte meenam naar m'n werk was ze stapel op dat kind.

Op m'n trouwdag zijn we van het meisjeshuis naar het stadhuis gegaan. Van m'n spaargeld had ik een trouwjurk gekocht, bij Lampe in de Kalverstraat. Ik kwam die jurk helemaal alleen kopen en passen. Dat vond die verkoopster van Lampe wel een beetje vreemd, natuurlijk, dat ik in m'n eentje kwam. Ze was heel lief voor me. Je kon nog niet goed zien dat ik in verwachting was, maar toen ik in m'n ondergoed stond, zag ze het. 'Ik hoop dat je een gezonde baby krijgt,' zei ze.

Omdat m'n opoe niet meer kon lopen, hielden we de huwelijksreceptie bij tante Annie thuis.

Evert en ik hebben wel alles zelf betaald. Van mevrouw Korff kreeg ik een hele stapel mooi linnengoed cadeau. De hele familie kwam op de receptie, dat weet ik nog goed. 's Avonds was er nog van alles over. 'Hou dat maar,' zei ik tegen tante Annie. 'Dat is goed,' zei ze. 'Ik krijg nog wel vijf gulden van je voor die rol damastpapier die ik voor je gekocht heb.'

De moeder van Evert kwam niet op de trouwerij. We hadden onze verloving wel bij hen thuis gevierd, maar ze was boos dat ik zwanger was. Nou was dat knap schijnheilig van haar, maar daar kwam ik pas veel later achter. Dat was toen mijn zoon Dennis net twee dagen geboren was, bij ons thuis. Ze kwam op kraamvisite en toen kreeg ze ruzie met Evert, ze stonden naast mijn bed tegen elkaar te schreeuwen. Ik ben zo uit mijn bed gestapt en naar de keuken gelopen, ik kon er niet tegen. Ik geloof dat z'n moeder kwaad was dat we een tweede kind op de wereld hadden gezet, maar wat ik zeker weet is dat Evert, toen z'n moeder al halverwege de trap was, haar toesnauwde: 'En daar moet *jij* nodig wat van zeggen, jij die in je verkeringstijd een miskraam heb gehad van een of andere matroos!' Nogmaals, het fijne weet ik er niet van en ik heb het er met Evert ook nooit meer over gehad, maar dat het bij hem thuis ook niet helemaal snor zat, dat was wel duidelijk.

Maar goed, ook zonder de moeder van Evert was het een mooie trouwdag en m'n opoe was helemaal blij, want het was voor haar toch een hele geruststelling dat ik nu een man had om voor me te zorgen. Het heeft wel niet zo goed uitgepakt, maar dat kon zij niet weten, toen.

Een week of wat na de bruiloft ben ik nog even langs het meisjeshuis aan de Weesperzij gegaan om de foto's te laten zien. Een van de meisjes daar moest ook trouwen, hoorde ik. Toen heb ik haar voor een prikkie mijn trouwjurk verkocht, had zij ook een meevallertje.

We hadden aan de Lijnbaansgracht een woninkje gevonden. Evert heeft wel altijd gewerkt, tijdens ons trouwen, z'n loonzakje gaf hij altijd netjes af. Maar hij kon eigenlijk geen liefde geven, geen genegenheid. Nou ben ik eerlijk gezegd naar mannen toe ook altijd terughoudend, ik denk omdat ik steeds m'n moeder in m'n achterhoofd heb. Ik heb 't nóg wel, dat als m'n man z'n armen om me heen slaat, dat ik stekels krijg. 'Hou op,' zeg ik dan. Te dichtbij vind ik eng, dat hou ik af. Het ging dus niet goed met ons, Evert kon moeilijk liefde geven en ik kon het moeilijk ontvangen. Hij ging drinken en er zat weinig rem op.

Wel een mooie herinnering uit die tijd is dat we af en toe met z'n drieën op de brommer naar een eilandje in Vinkeveen gingen, daar lag een klein bootje van ons. Ik was toen zwanger van Dennis. Dan gingen we daar aan de plas zitten vissen, Bianca lag te slapen in het vooronder. Heel vredig was dat, je had er rust. Ik moest alleen wel uitkijken dat ik niet in het water viel, want ik kon niet zwemmen. Ik ben pas later, gelijk met de kinderen, op zwemles gegaan.

M'n opoe zat dus bij tante Annie in huis, maar het boterde steeds minder tussen die twee. En opoe begon te dementeren. Dan zei ze bijvoorbeeld: 'Kijk, daar in het gras zit een zigeunerin haar kind de borst te geven, daar moet je wat van zeggen, Annie, dat kan toch niet.' Dan zei m'n tante dat daar helemaal geen zigeunerin in het gras zat en dat ze niet goed snik was. Ik paste er wel 's op, dan liet ik opoe maar praten, natuurlijk. 'Annie zegt dat ik lieg,' zei opoe. Dan probeerde ik haar wat af te leiden door een spelletje met haar te doen.

Op een gegeven moment belandde opoe in het oude ziekenhuis in Noord, voor weer een longontsteking. Toen ik er op bezoek kwam, was ze helemaal overstuur: 'Ze willen aan me zitten, ze willen m'n lijffie omhoog doen. Maar dat wil ik niet, niemand heeft me ooit nog naakt gezien, alleen m'n eigen man.'

Ze ging naar een verpleeghuis, op de Nassaukade. Vreselijk was het daar. Ik heb een paar keer ruzie gemaakt met haar verzorgsters, die waren zo liefdeloos, zo ruw, het sneed door m'n ziel. Ik had haar zo graag bij mij in huis willen nemen, maar dat kon niet. Eén kind aan m'n rokken en één kind op komst, in dat kleine woninkje, opoe kierewiet en Evert aan de drank, dat zag ik niet zitten. Opoe stierf toen ik in het kraambed van Dennis lag, dus haar begrafenis heb ik ook gemist, net als die van m'n opa. Anders dan opa kreeg zij wel een steen op haar graf. Ik ben er nog een paar keer geweest. Het graf van opa was toen al geruimd.

De Palmdwarsstraat

We zochten een wat groter huisje, en dat vonden we in de Palmdwarsstraat. Ons bootje in Vinkeveen ruilden we tegen onze laatste centen in voor een iets groter schip. Toen we een jaar later in scheiding lagen, heeft Evert dat ding verkocht. 'En het geld?' vroeg ik. 'Dat is op,' zei hij. Daar kon ik dus naar fluiten, daar had ie waarschijnlijk drank voor gekocht.

Hij werkte in die tijd als papier-operator bij de ABN, vaak ook 's nachts. Op een keer zette hij 't na z'n nachtdienst met een collega op een drinken in een café, een neef van mij was daar kastelein. Die belde ons een tijdje later op om te vertellen dat ie stomdronken was en wat ze met 'm aan moesten. De politie heeft hem toen thuis afgeleverd. Hij zwalkte door de kamer en viel achterstevoren in de kinderbox. Ik ben toen met m'n kinderen naar de overkant gerend, naar tante Lenie en ome Piet, die hadden daar een sigarenmagazijn. Bij ons in de Jordaan noem je iemand al gauw tante en oom. Ik maakte de winkel wel 's voor ze schoon en af en toe stond ik ook achter de toonbank. Bij tante Lenie heb ik toen een partijtje zitten janken. Ze drukte me tegen haar boezem aan en troostte me.

Toen ben ik weer teruggegaan naar m'n huis. Ik had de kinderen natuurlijk bij tante Lenie moeten laten, maar dat deed ik niet, stom genoeg. Evert had intussen alles kort en klein geslagen, ik zag dat het glas van de tv kapot was maar het geluid deed het nog. 'D'r zit een geest in de tv,' riep Bianca, 'hij is stuk, maar hij praat nog wel.'

Ik belde z'n moeder op en toen ging ie helemaal door het lint. 'Zet een bakkie koffie voor 'm,' zei z'n moeder. Ik zei: 'Het enige dat ik voor 'm klaar wil maken is rattengif.' Ja, ik heb m'n eigen toen vergaloppeerd, dat geef ik eerlijk toe, maar ik wist ineens heel zeker: ik ga scheiden, ik wou niet meer verder met hem. Toen even later z'n moeder kwam, vloog hij háár aan, hij was door het dolle heen. Ach, laat ik er verder maar niets meer over zeggen, maar ons huwelijk liep op z'n end, dat was wel duidelijk.

Ik zei net dat tante Lenie me tegen haar boezem drukte. Daar wil ik nog even iets over vertellen, want dat lieve mens had een hele grote boezem.

Dik was ze ook, er stonden altijd eieren met spek op haar potkacheltje te pruttelen. Ome Piet was trouwens ook dik. Dat was hem in de oorlog nog wel van pas gekomen, want als goed communist zat ie in het verzet, net als m'n opa, en toen hebben ze 'm opgepakt en belandde hij in Amersfoort, bij Joseph Kotälla. Nou, dat was geen fijne heer. De magere mensen in het kamp werden prompt ziek en de meesten legden het loodje, maar ome Piet kon het gelukkig even uitzingen, met die speklaag van 'm. Hij was anders wel vel over been toe ie ineens weer vrijkwam. Hij stapte de winkel binnen en liet de deur openstaan. 'Hé, magere hein, doe de deur achter je dicht, de warmte gaat er wel uit maar komt er niet in,' riep z'n moeder. Ze herkende 'm niet. Maar z'n zoontje, die bij z'n moeder op schoot zat, riep gelijk: 'Pappa!'

Maar ik had 't over de boezem van tante Lenie. Even verderop woonde een vrouw, die was helemaal plat van voren, twee erwten op een plankje. 'Doe d'r een broche op,' zeiden ze in de Jordaan, 'dan weten we wat je voorkant is.' Die vrouw had in *De Lach* gelezen dat je pillen kon bestellen waar je mooie borsten van kreeg. Maar ze durfde die bon niet op haar naam in te vullen, want dan kwam haar man erachter. Of het misschien op naam van tante Lenie mocht, en op haar adres. Ik was toevallig in de winkel toen het pakje kwam. Ik zie nog het verbaasde gezicht van die postbode, met dat doosje pillen voor grotere borsten in z'n hand en met die boezem van tante Lenie vlak voor z'n neus. In de weken daarna kwam die vrouw iedere keer met een strak truitje aan vragen of je al wat kon zien. Tante Lenie zag niks.

Een schat was het. En ze had het allemaal niet cadeau gekregen. Op haar achttiende was ze zwanger geraakt. Toen ze het op een avond thuis ging vertellen, haalde haar moeder d'r broertjes uit bed en zei: 'Kijk nog maar even goed naar je zuster, want je zult haar niet meer zien, ze gaat het huis uit, want het is een hoer.'

Toen is ze naar de moeder van haar vriend gegaan, die sloeg gelijk d'r armen om haar heen. 'Ach meid, dat kind komt wel groot, hoor. We zoeken een lekker hokkie voor je en dan krijg je een stoel van die, en een bed van die, en van die een gasstel, en dan wordt het al gauw een knap huissie.'

Het kind werd dood geboren, maar daarna kwam alles weer goed: ze kreeg nog een heel leuk joch en ook d'r eigen moeder was helemaal dol op dat kind.

De echtscheiding

De gemeente wilde de Palmdwarsstraat reno-
veren, en ons huisje zou worden gesloopt. We
kregen een nieuwe woning toegewezen in de
Watergraafsmeer, vlak bij de Oosterbegraaf-
plaats, in de Bolkstraat.

Ik heb er maar kort gewoond. Ons huwelijk
was geen huwelijk meer en de kinderen voel-
den dat natuurlijk. Bianca was vaak ziek en ze
ging stotteren. Dankzij onze dokter kon ze naar
Het Kabouterhuis, een medisch dagverblijf aan
de President Kennedylaan. Ik ben daar ook wel
samen met Evert geweest, maar dan praatte hij
nooit over zijn drank en die maatschappelijk
werkster, een jong ding, vond dat ie daar zelf mee
moest komen. Dus gebeurde er niets. En als ik er
thuis met hem over begon, zei hij dat er niks aan
de hand was en dat ik hem te veel op z'n huid zat
en dat ik hem met rust moest laten.

Ik was trouwens niet gelijk een goeie moeder, hoor. Wat ik bijvoorbeeld af moest leren,

was schreeuwen tegen de kinderen. Dat deed m'n opoe altijd, schreeuwen, en tante Annie kon d'r ook wat van. Eigenlijk stond ik er helemaal alleen voor en ik had nooit een ander voorbeeld gehad en dan wil je je eigen wel eens vergeten. Dan gaf ik mijn kinderen een pak slaag en dan schreeuwde ik tegen ze. 'Waarom schreeuw je zo?' vroegen ze dan. 'En je hoeft ons toch niet te slaan?!' De mevrouwen bij wie ik werkte, schreeuwden nooit tegen hun kinderen en ze sloegen ze ook niet. Het was een heel proces voordat ik het had afgeleerd. Als ik het nu omhoog haal, kan ik er nog erg verdrietig van worden. Vooral Bianca heeft er last van gehad. Maar nu zegt ze dat ik de liefste moeder van de hele wereld ben.

Toen Evert weer eens straalbezopen thuiskwam, brak er iets in me. 'Als het je hier niet bevalt, sodemieter je maar op,' riep hij altijd. Nou, nu was het zover, ik sodemieterde op. Ik pakte gauw wat spulletjes bij elkaar, stapte met de kinderen op de tram en ging naar Hulp voor Onbehuisden in de Van Neckstraat. Evert was te dronken om te merken dat ik 'm smeerde.

Ik ben er acht maanden geweest en ik heb het er goed gehad. Er zaten zo'n dertig vrouwen met kleine kinderen, iedereen was blij dat ie daar veilig en wel zat. Af en toe kwam Evert de kinderen nog wel eens ophalen, maar na een tijdje is er van afspraken weinig meer terechtgekomen.

Bij de scheiding kreeg ik een woning in de Burgemeester Tellegenstraat toegewezen, in de Pijp. Evert stond al gauw op de stoep, hangend uit het raam zag ik hem beneden staan. Dronken, natuurlijk. 'Ik wil erin.' En even later tegen de politie: 'Ik woon hier.' Was ik even blij dat ik kon laten zien dat het *mijn* huis was.

Ik was nog maar net gescheiden toen m'n moeder vroeg of ik een dagje in Broek op Langendijk op de koffie kwam, zonder de kinderen. Mét dat ik de kamer binnenstapte, zag ik al dat 't mis was: ze hadden ook een man uit de buurt uitgenodigd, een drankorgel wiens vrouw in een 'Blijf-van-mijn-lijfhuis' zat. Ze wilden mij koppelen aan die kerel; hij zou z'n leven beteren, hij zou nooit meer drinken, daar had ie medicijnen voor. Nou, binnen een half uur was meneer alweer vertrokken, hij had gauw in de smiezen dat ik hem niet moest. 'Jullie worden bedankt,' zei ik toen ie weg was. Razend was ik. 'Ik weet niet óf ik weer wil trouwen maar áls ik dat wil, zoek ik zelf een man en dan nooit, nooit meer een alcoholist!'

Na de scheiding ging ik weer schoonmaken, nu bij een makelaar achter het Concertgebouw. Ik kreeg een uitkering van de sociale dienst, maar de kinderen gingen op clubjes en ik wou graag wat bijverdienen. Dat was dus wel clandestien, daarom zei ik maar dat ik Staats heette, zo heette m'n opa. Toen ik er voor de tweede keer kwam, zei die makelaar: 'U heet helemaal geen Staats.' Hij was het even nagegaan. Toen heb ik het ze maar eerlijk verteld.

Ik deed het natuurlijk om het geld, maar ik vind schoonmaken helemaal niet vervelend, hoor, ik doe het zelfs graag, m'n hele leven lang al. Ja, ik weet niet waarom of dat is. Het is iets waar ik goed in ben en het geeft zo'n fijn gevoel als alles weer helemaal aan kant is. Ik haal daar veel voldoening uit. Maar dan moet het ook echt schoon zijn, je moet geen half werk afleveren, dat heb ik vooral van tante Annie geleerd, dat moet ik haar nageven. Ik kan ook nooit zeggen: nou, laat maar liggen hoor, dat is toch een rotsooitje, nee, dan ga ik aan de slag. En dan moet het af ook. Ik heb mijn werk altijd met plezier gedaan en ik hoop dat ik er nog lang mee door kan gaan.

Opnieuw beginnen

Ik had een aardige buurvrouw op de trap in de Pijp, die stond er ook alleen voor. We hadden er allebei ook nog een zolderkamertje, en dat zoldertje verhuurden we samen aan een meisje, die kon dan af en toe mooi op onze kinderen passen.

Ik kreeg in die jaren m'n leven weer wat op orde. Toen ben ik op een avond met die buurvrouw naar een dansgelegenheid gegaan, ik wou er wel eens uit en dat meisje paste op. Daar ontmoette ik Ko, Ko van Akkeren. Die zat in verzekeringen, lag in scheiding en woonde weer bij z'n moeder. Ik vond het een aardige man en hij vroeg of hij me naar huis mocht brengen. Op de stoep heb ik hem wel gelijk verteld dat er boven twee kinderen van mij lagen te slapen. Hij had geen kinderen. Of hij gauw eens mocht opbellen. Dat vond ik wel goed.

We kregen verkering, maar we deden het rustig aan, we waren allebei voorzichtig geworden. Na een klein jaar kwam Ko bij ons wonen. We zijn dat toen meteen bij de sociale dienst gaan vertellen. 'De meeste mensen houden dat geheim,' zeiden ze daar. Ze zouden mijn uitkering nog drie maanden doorbetalen en er dan mee stoppen, dat was heel schappelijk van ze.

Dat Ko bij ons introk, was wel een overgang, vooral voor de kinderen. Ze mochten altijd omstebeurt bij mij slapen, maar toen Ko kwam was dat natuurlijk afgelopen. Dennis had er geen moeite mee, die ging uit z'n eigen meteen pappa zeggen. Bianca bleef wat dwars, maar dat begreep ik best. Ze vond het vervelend wanneer Ko zich af en toe tegen haar aan bemoeide: 'Je bent mijn vader helemaal niet.' Maar na een tijd ging ze gelukkig ook pappa zeggen, ook uit haar eigen. En toen ze naar de middelbare school ging, kwam ze zelf met de wens voortaan ook Van Akkeren te heten. Daar was Ko best trots op. We kregen vervolgens twee rechercheurs over de vloer voor een antecedentenonderzoek, Ko z'n ouders moesten het ook goedvinden en Bianca en Dennis gingen samen, zonder ons, naar de kinderbescherming, want daar wilden ze ook graag even weten hoe en wat.

Ik vroeg Ko of hij niet ook een kind wou. 'Van mij hoeft het niet,' zei hij, 'ik heb er toch twee.' Drie jaar later was ik van Jordi in verwachting.

'Dat je daar nog aan begint,' zei de makelaars-
vrouw in Zuid, die notabene zelf nog heel laat
een kind op de wereld had gezet. Ik kreeg altijd vakantiegeld van haar, maar omdat ik door
mijn zwangerschap op drie maanden na het jaar
niet vol maakte, kreeg ik dat geld niet. Je moet
je personeel kort houden, vond ze, 'want anders
krijgen we dezelfde toestanden als bij die haven-
arbeiders, die staken ook om 't minste geringste.'
Als ze zulke taal uitsloeg, begreep ik weer waarom m'n opa communist was. En zuinig dat die
vrouw was! Ze was hartstikke rijk, maar als ze
een bad genomen had, gooide ze haar wasgoed
in het badwater met wat Biotex erbij, dan hoefde ze daarna maar een kort wasje te draaien. Ondergoed werd versteld alsof we nog midden in de
oorlog zaten, ik vond dat spul nog te slecht voor
poetsdoek. En ze had een bloes waarvan alleen
het kraagje nog heel was. Ja, je hebt armoei en armoei.

Toen Jordi geboren was, kwam ze wel op
kraamvisite en ik moet zeggen: ze was heel gul.
Ik kreeg een spaarbankboekje voor hem, met een
eerste inleg van vijftig gulden. En ook een was-
handje van Arbeid Adelt, met een poezenkop
erop geborduurd. Die mevrouw was van adel.
Toen ze een keer geen kaartje kreeg voor het

Concertgebouw omdat de zaal uitverkocht was, zei ze aan het loket: 'Weet u wel wie u voor u hebt, ik ben barones!' 'Al was u koningin Juliana,' zei de juffrouw achter de kassa.

Evert

Op een dag – ik was al grootmoeder geworden, Bianca had de kleine Amber gekregen – kreeg een nichtje van me ineens een telefoontje van Evert, m'n ex-man. Hij wou mijn telefoonnummer hebben, hij had nog een doos met foto's van de kinderen toen ze klein waren, die wou hij komen brengen. Die foto's had hij bij de scheiding niet af willen geven, maar nu konden we ze krijgen. 'Ik geef je haar nummer niet,' zei m'n nichtje, 'maar ik zal zeggen dat je gebeld hebt.'

Ko schrok, die was natuurlijk bang voor toestanden, maar ik zei dat Evert mij gerust mocht bellen. De kinderen vonden het altijd verdrietig dat ze geen foto's hadden van vroeger, en ze waren oud en wijs genoeg om zelf te beslissen of ze zouden gaan. 'Evert,' zei ik, 'ik ben blij dat je ons die foto's wil geven. Ik weet niet of de kinderen willen komen, maar ik geef hun je telefoonnummer.'

Bianca was er dubbel over. Ze liep allang met de gedachte rond dat ze haar vader wel eens wou ontmoeten, maar ze zag er ook tegen op. 'Ga maar,' zei Ko. 'Je moet heel rustig blijven en hem alles vragen wat je altijd al had willen weten. Dan pas ik zolang op Amber.'

Evert had bedacht dat ze mekaar in een café bij het Scheepvaarthuis zouden ontmoeten, op een ochtend. Hij had z'n vriendin meegenomen en zat al achter een pils. Hij droeg een paarden-staart en had de nodige piercings, daar schrok Bianca wel van. Maar ze was blij met de foto's, onder andere van het bootje in Vinkeveen, en ze vroeg hem wat ze vragen wou. Evert zei dat hij Amber graag een keertje wou zien. 'Daar moet ik wel over nadenken,' zei ze.

Ze was blij dat ze gegaan was, maar ze had ook het gevoel dat het bij deze ene ontmoeting moest blijven, het was goed zo. En ze hoefde nu nooit meer te denken als ze ergens een man van zijn leeftijd over straat zag lopen in Amsterdam of dat misschien haar vader was. Dat gaf rust.

Jaap en Annie

In de loop van de jaren was ik het contact met tante Annie verloren. Ik ging wel af en toe bij Jaap op bezoek, haar zoon. Die was ook aan de drank, net als z'n vader, maar hij was altijd heel aardig voor mij. Hij kwam op een avond bij ons eten, hij was helemaal in de lorem. De knopen van zijn regenjas zaten ongelijk vast. 'Ome Jaap,' zei Dennis, 'u lijkt Swiebertje wel, u heeft uw jas verkeerd aan.' Toen was ie beledigd. We aten gebakken aardappelen met doperwtjes, ik weet het nog goed, en Jaap probeerde met z'n vork die doppertjes een voor een op te prikken, maar die vlogen natuurlijk alle kanten op. De kinderen moesten er erg om lachen, het was ook zo'n mal gezicht. 's Avonds laat kreeg Ko een kwaaiig telefoontje van Jaap dat hij de kinderen beter moest opvoeden. 'En jij moet ophouden met drinken,' zei Ko.

Maar hij kon ook hartelijk zijn, Jaap. Hij had vroeger gevaren en op een dag vroeg hij of de kinderen de sluizen bij IJmuiden wel eens gezien hadden. Dat hadden ze niet en dat vond hij een gebrek aan hun opvoeding. Toen dronk hij een keer niet en kwam hij ons met de auto halen en zo hadden we een gezellig dagje uit. Ja, tot halverwege de middag, uiteraard, want toen moest hij nodig weer wat nuttigen. Maar er zat verder geen kwaad bij.

Ik had z'n moeder dus al een hele tijd niet meer gezien, tot ik ineens – dat was ergens in 2000 – een telefoontje kreeg van haar buurvrouw: tante Annie lag al een half jaar in het Onze Lieve Vrouwe Gasthuis en ze kreeg van niemand bezoek. Haar man was overleden, haar dochter was overleden, Jaap kon nauwelijks meer op z'n benen staan en Jaap z'n dochter keek ook nooit naar haar grootmoeder om. Ook niet naar haar vader, trouwens. Die buurvrouw wist wel dat ik geen contact meer had met tante Annie, maar of ik nou toch niet een keertje bij haar langs kon gaan. Ze zou net die dag worden overgeplaatst naar het Sarphatihuis, vlakbij Artis.

Het deed me best veel, toen ik haar in die rolstoel zag zitten. Tweeënnegentig jaar was ze inmiddels. Ze hadden haar een been afgezet, het andere been zat helemaal in verband, maar ze was wel helder. Het ouwe mens was zo blij dat

ze me zag. 'M'n nicht is de enige die naar me om-
kijkt,' riep ze op dat zaaltje. Ze moest huilen. Ik
kon het niet opbrengen mijn arm om haar heen
te slaan, dat vond ik wel naar van mezelf. Bij m'n
opoe kon ik het wel. Ik had een bakje aardbei-
en meegenomen, die heb ik haar toen opgevoerd.
'Weet u nog', zei ik, 'dat u het lied van de Apa-
chen zong en "Zonnig Madeira, land van liefde en zon", bovenop het biljart van De Blauwe
Druif?'

Ik ben er toen drie keer in de week naartoe
gegaan, na m'n werk. Dan nam ik een stuk leverworst voor d'r mee, of sigaretten of zeep. Op een
keer had ik lekkere aal bij me en ze vertelde weer
het verhaal van hoe ze in de oorlog helemaal naar
Spakenburg was gefietst om aal te halen. 'Heb je
verboden waar bij je?' vroegen de Duitsers op de
pont toen ze bijna thuis was. Ze moest 't allemaal
inleveren. Toen had ze dat hele pak paling op de
grond gesmeten en was er op gaan stampen. *Ik
heb die aal niet en jullie hebben die aal ook niet.*
Ze kwam er nog mee weg ook.

Bij de HEMA kocht ik een doos zakdoeken
voor haar. Daar kreeg ik geld voor van Jaap. Die
was haar bewindvoerder, maar daar kwam natuurlijk niks van terecht, met al die drank in z'n
lijf. 'Je moeder heeft een nieuwe nachtpon no-

dig,' zei ik op een keer tegen hem. Hij gaf me een briefje van duizend gulden. Dat is veel te veel, zei ik. 'Nou, dan doe je het wisselgeld maar terug ik het kistje.' Hij had ik weet niet hoeveel bankbiljetten in dat kistje zitten, allemaal geld van z'n café dat ie verkocht had. Hij had ook een doos met allemaal goud erin en ander kostbaar spul waarmee z'n klanten hem in natura betaald hadden. Onder z'n bed lag een stel bontmantels. Ik had het hele zaakje zo kunnen meenemen, dat had ie nooit gemerkt, maar dat deed ik natuurlijk niet. Ik had wel met 'm te doen. Het was natuurlijk een geschonden mens, met die afschuwelijke loodgieter als vader, maar nogmaals, hij had het hart op de goede plaats.

Voor de 93ste verjaardag van tante Annie had ik van het Sarphatihuis een apart zaaltje gekregen. Dat heb ik toen met slingers versierd. Van het huis kregen we mooie schotels met hapjes. Haar kleindochter hadden we opgetrommeld, mijn moeder kwam met ome Klaas, tante Grietje was er ook. Jaap had beloofd dat hij een paar uur niet zou drinken en dat hij dan ook zou komen, met een taxi. Maar wie er kwam, geen Jaap. Ik heb 'm nog opgebeld, maar hij nam niet op. Was ie weer straalbezopen, natuurlijk.

Ik was anders de dag na het feest wel even bij

hem langsgegaan, maar wij gingen uitgerekend die dag op vakantie, naar Portugal. Toen we twee weken later terugkwamen, lag er een brief op de mat van het Sarphatihuis om me te bedanken voor wat ik allemaal voor Annie gedaan had en of ik te zijner tijd op de jaarlijkse dodenherdenking van het huis wou komen. Ik wist niet wat ik las: tante Annie was overleden, net toen wij weg waren. Ik belde gelijk het Sarphatihuis op om te horen hoe of het gegaan was. 'Ze kon niet over de dood van haar zoon heenkomen,' zeiden ze. Het duizelde mij, Jaap was dus ook dood! Terwijl wij in het vliegtuig naar Portugal zaten, hadden ze 'm een dag na Annies verjaardag dood gevonden, in z'n huis, op de grond. Toen ze aan tante Annie vertelden dat ie dood was, was ze naar bed gegaan en d'r niet meer uit gekomen. Vier dagen later overleed ze in haar slaap. Ik was blij voor haar.

Ik ben nog één keer in Jaap z'n huis geweest. Het kistje, de doos en die bontjassen waren weg. De dader lag op het kerkhof, net als Jaap zelf. Het ging mij niet om die spullen hoor, maar ik had wel graag een mooie ring of zo gehad, als aandenken.

In badpak achter het fornuis

Ik heb het al een hele tijd niet meer over m'n moeder gehad, maar we zagen elkaar dan ook niet of nauwelijks. Toen ik nog bij tante Annie woonde, reed ik wel 's met tante Grietje mee naar Broek op Langendijk, die had een auto. Tante Annie zelf ging nooit naar haar toe, ze had het helemaal gehad met haar zuster. Ze kon 't nog altijd niet verkroppen dat haar bloedeigen zus in de hongerwinter in de Ruteck's gedreigd had haar bij de Ortskommandant aan te geven. 'Ga jij nou wél mee naar je moeder,' zei tante Grietje, 'ze wil je vast graag weer eens zien.' Ik denk dat Grietje blij was dat die zus van haar na dat rosse leven tenminste ergens onder de pannen was. Ik vond wel dat m'n moeder een raar huwelijk had, ze was eigenlijk meer ome Klaas z'n huishoudster dan z'n vrouw. Ik geloof niet dat ze er iets te vertellen had.

Alle jaren dat ik bij het Leger des Heils zat, heb ik m'n moeder niet gezien, ze verscheen niet op ons huwelijk en toen Bianca geboren was, kwam ze ook niet opdagen. Ik zag haar wel een keer toen ik met Bianca bij tante Trijntje op bezoek was. Ik had het kind een schone luier om gedaan en ik moest even m'n handen vrij hebben en toen had ik die vuile luier op de grond gelegd. Ik liet haar Bianca zien en toen zei m'n moeder: 'Moet je eens kijken wat vies, Trijntje, ze heeft die smerige luier zomaar op de grond gelegd.' Dat was alles wat ze zei. Ze vroeg ook niks. Het was de eerste keer dat ze haar eerste kleinkind zag.

Toen Dennis geboren was, heb ik haar nog wel een kaartje gestuurd. 'Doe dat nou,' zei tante Grietje, 'dat vindt ze vast fijn en opoe is nu ook al dood.' Toen kwam m'n moeder op kraamvisite. Ome Klaas bleef beneden, zij ging alleen naar boven, Dennis lag in de wieg. 'Waar ligt het wicht?' vroeg ze. Ik zei: 'Je mag anders wel een beetje respectvoller over hem praten, het is je kleinzoon.' Toen is ze kwaad weggelopen. Even later belde tante Grietje op, waarom ik m'n moeder de deur uitgegooid had. Dat heb ik niet gedaan, zei ik.

Met Sinterklaas kwam ze een cadeautje voor Dennis brengen: een drumstel! Dat joch was nog geen jaar oud! Maar ik heb haar natuurlijk hartelijk bedankt. Voor Bianca had ze een kleurboek meegenomen.

Toen Ko in mijn leven gekomen was, vond ik dat zij hem een keer moest ontmoeten en Ko wou haar ook wel 's zien. Ik had opgebeld of we langs konden komen. Ze stond in badpak achter het fornuis en ze heeft aan één stuk door over zichzelf gepraat.

Nog weer later, nadat ik in geen tijden meer iets van haar gehoord had, wou ze ineens op de verjaardag van Bianca komen. Acht jaar werd ze. Ze kwamen op de koffie, maar toen was dat kind natuurlijk naar school. 'Nou, we gaan weer,' zei ome Klaas na een uurtje, 'we moeten nodig een hapje eten.' 'Wacht nou even,' zei ik, 'dat kind komt zo uit school, dan kunnen jullie haar nog even zien en zelf je cadeautje geven.' 'Nee,' zei ome Klaas, 'daar wachten we niet op.' Met dat cadeautje ging het ook een beetje vreemd. 'Wat moet ik dat kind geven?' hoorde ik mijn moeder in de keuken aan ome Klaas vragen. 'Een tientje,' zei hij, 'hetzelfde als wat mijn neefjes krijgen.'

Na dat bezoekje viel het contact weer weg. Ik heb haar nog wel een kaartje gestuurd toen Jordi geboren was, maar we hoorden niets.

Ik kon m'n eigen langzamerhand aardig redden, moet ik zeggen, maar toen ik een periode niet zo goed in m'n vel zat, stuurde de huisarts me naar een psychiater van het RIAGG. Die vond dat ik samen met Ko naar m'n moeder moest gaan om alles uit te praten en schoon schip te maken. 'Dan kunt u het afsluiten.'

Nou, dat lukt natuurlijk nimmer nooit niet, dacht ik, maar goed, wij d'r heen. Het was de eerste keer dat m'n moeder Jordi zag. 'Kijk, dat is je opa,' zei ze, wijzend op ome Klaas. Het kind had natuurlijk geen idee waar ze 't over had. Hij ging in de schuur spelen. Ik vroeg m'n moeder of ze kon uitleggen waarom het gegaan was zoals het gegaan was, maar dat had ik net zo goed niet kunnen vragen. 'Ik wou niet dat je kwam,' zei ome Klaas, 'dat mag je gerust weten. Je moeder heeft een dochter waar ze nooit plezier aan beleefd heeft. Je komt hier alleen maar om het geld.'

'Ome Klaas,' zei ik, 'ik heb nog nooit een dubbeltje van m'n moeder gehad en ook niet van u, ik ben alleen maar gekomen om met haar te praten, want dat hebben we nog nooit gedaan. Ik wil weten waarom mijn moeder haar eigen kind niet heeft grootgebracht en of ze zich daar ooit in verdiept heeft.'

Ome Klaas had het niet erg op mij. Die keer dat ze op de achtste verjaardag van Bianca op de koffie kwamen, zei hij tegen mij dat ie mijn biologische vader had gezien. M'n moeder had 'm aangewezen op het Waterlooplein. Maar ome Klaas had het over Colenbrander, de tweede man van m'n moeder, Rinus Colenbrander, die door m'n tantes de trap van de Albert Cuyp was afgeslagen en die van m'n opa de kamer uit moest omdat ie anders niet kon sterven. Ome Klaas wist niet eens dat Rinus haar tweede huwelijk was, daar hoorde hij van op. Haar eerste man, ome Cor, was trouwens ook niet mijn biologische vader, maar wie daarop let is een kniesoor. Ik heb het maar zo gelaten.

Ik vroeg m'n moeder wat of ze ervan vond, zoals het met ons tweetjes was gegaan. Ik zei dat ik er veel verdriet van had. Ik vroeg of dat bij haar ook zo was en of ze er wel eens met ome Klaas over sprak. M'n moeder keek het raam uit en zei: 'Kijk, daar loopt de buurvrouw. Nou, ik kan je wel vertellen, dat mens deugt voor geen cent. Die zorgt niet goed voor haar man. Ik wel, ik zorg heel goed voor m'n man, het ontbreekt hem aan niets.'

'Gaan we nou naar huis?' vroeg Jordi.

'Ja,' zei ik, 'we gaan naar huis. Waar we voor zijn gekomen, dat is niet gelukt.'

'Je had net zo goed tegen een lantaarnpaal kunnen praten,' zei Ko toen we weer in de auto zaten. Ik wou iets uit mijn jaszak halen. Toen zat daar ineens een briefje van vijftig gulden in. Thuis heb ik toen gelijk mijn moeder opgebeld. 'Is dat soms van u? En weet ome Klaas daarvan?' Nee, die wist nergens van. 'Dan ga ik dat geld meteen terugsturen,' zei ik, 'want anders denkt hij nog dat ik voor het geld kwam en daar kwam ik niet voor.' M'n moeder begon vreselijk te huilen. 'Doe me dat niet aan,' zei ze, 'want dan krijg ik op m'n kop.' 'Goed,' zei ik, 'maar dan stop ik het in de spaarpot van de kinderen, ik wil er zelf geen cent van hebben.'

Ze bedoelde het als troost, denk ik, met dat geld wou ze het een beetje goedmaken, maar ik kon er niets mee, het voelde aan als omkoperij. Als ze nu gezegd had: 'Het is naar dat het zo gelopen is, maar het is nu eenmaal niet anders en laten we er verder het beste van maken.' Maar dat kleine beetje erkenning kon er niet af, vanuit haar eigen niet en ook niet vanwege ome Klaas.

Ik vertelde de psychiater hoe of het gegaan was. 'Nou, dan kunt u het nu afsluiten,' zei die man. Ik dacht: jij moet nog veel leren, jochie. Want dat lukt natuurlijk nooit, zoiets afsluiten, wat is dat nu voor onzin.

De Westerkerk

Nu werkte ik in die tijd in de Westerkerk. 'Je moet eens met professor Berger praten,' zei de kosteres. Die man was priester en psychotherapeut en hij kwam iedere maandag uit Nijmegen om in de Wester pastorale gesprekken te voeren. 'Als onbezoldigd kapelaan in deeltijdarbeid,' zei hij altijd.

Ik was bang om te gaan. Die psychiater vond dat dat gezeur van mij over vroeger maar 's afgelopen moest zijn. Hij zei dat ik mijn opa niet mocht romantiseren en dat ik niet steeds achterom moest kijken. Maar ik dacht: als ik doe wat die man zegt, laat ik m'n opa in de steek en dan is alles voor niets geweest. Ik was bang dat professor Berger dat ook zou zeggen, over dat oud zeer, en ik wilde de mooie herinnering levend houden.

Maar goed, ik ben toch gegaan en dat was een zegen, ik heb er geen ander woord voor. Wat was dat een lieve man. Hij had gauw door wat er aan de hand was en ik maar praten. Wat kon die man luisteren, hij begreep me al voordat ik iets gezegd had. 'U moet die opa van u in ere houden, hoor, hij heeft u leren overleven.' Eerst was ik nog bang dat ie zou zeggen dat het allemaal niet zo erg was als ik het vertelde, maar niks daarvan. 'Wat afschuwelijk,' zei hij steeds. 'Vertel.' Hij noemde het achterstallig onderhoud.

En ik gooide alles eruit, het was een verademing om met die man te praten. Hij verdedigde mij, en dat deden maar weinigen. Er wordt toch vaak op je neergekeken, door de mensen, maar hij zag me voor vol aan. 'Ik vind het echt geweldig dat u zo uit de strijd tevoorschijn bent gekomen,' zei hij. Nou, dat gaf mij zelfvertrouwen, want dat had ik helemaal niet. Ja, je regeert dan wel je eigen, maar af en toe heb je toch een beetje hulp nodig.

Op een dag vroeg professor Berger of Ko een keertje mee zou kunnen komen. 'Ik zou het heel fijn vinden als uw man dat zou willen doen.'

Ko vond het wel eng, maar hij ging gelukkig mee en hij kon het gelijk goed met hem vinden. 'Ik vind het fijn dat u gekomen bent,' zei professor Berger. 'Ik wou u wat vragen. Wat vindt u daarvan, als uw vrouw over vroeger vertelt?'

'Mag ik eerlijk zijn?' vroeg Ko.

'U *moet* zelfs eerlijk zijn.'

'Ik denk dat ze het in haar beleving erger maakt als dat het is.'

Toen zei professor Berger: 'Ik heb maar één antwoord voor u. Ik heb in een psychiatrische kliniek gewerkt, in het gekkenhuis, zeg maar. En ik heb daar vrouwen ontmoet die helemaal de weg kwijt waren en die hadden nog niet de helft meegemaakt van wat uw vrouw heeft meegemaakt. Het is werkelijk een wonder dat ze nog zo gaaf uit alle ellende tevoorschijn is gekomen. En als het af en toe nog een beetje bij haar van binnen spookt, dan moet u niet ongeduldig worden, want dan weet u waarom het is. Zal ik u eens wat vertellen? Die vrouw van u, dat is een parel en ik ben er onzeker over of u dat wel goed weet. Ik ben heel blij dat u zo eerlijk bent geweest, dat u 't gezegd hebt, want daar kunnen we allemaal mee verder. Ik hoop dat u er wat aan hebt, aan wat ik heb gezegd.'

Even later stonden we weer op de Prinsengracht. Ik was heel geëmotioneerd en ik was ook boos. 'Lin,' zei Ko, 'laten we even naar de overkant gaan, naar café Kalkhoven.'

Toen zijn we samen naar Kalkhoven gegaan. 'Ik ben heel erg teleurgesteld in je,' zei ik, toen we rustig zaten. Ik was óók eerlijk. Maar Ko zei gelijk dat hij er al anders over was gaan denken.

III

'Ik hoop het,' zei ik, 'want ik heb dingen weg-gestopt die ik je nog niet eens verteld heb.'

We dronken samen wat en dat voelde goed. Hij *was* er ook anders over gaan denken, dat bleek gauw genoeg, en dat voelde natuurlijk hele-maal goed.

Laatst hadden Ko en ik 't er nog over. 'Het was eigenlijk heel gemeen, wat ik toen over jou zei, tegen professor Berger.' 'Ach, het was niet kwaad bedoeld,' zei ik. 'Je was gelukkig eerlijk en dat heeft ons allebei een eind verder geholpen.'

Toen de Westerkerk 350 jaar bestond, was er een feestavond in de kerk, met het Jordaancabaret. Toen ik met mijn schoonmoeder binnenkwam – zij hielp me vaak in de kerk – zei de kosteres: 'Linda, ik wou graag dat jullie op die twee stoe-len op het hoekje van de tweede rij gaan zitten.' Ik zei dat we ook best achterin konden zitten, maar nee, ze wou ons per se daar hebben.

Enfin, wij zitten daar, het programma gaat be-ginnen, roept er ineens iemand achterin de kerk: 'De koningin!' Wij dachten natuurlijk dat ie een geintje maakte, maar nee hoor, daar stapte de koningin naar voren, door het middenpad, met prins Claus. De hele kerk ging gelijk in de benen en met z'n allen zongen we het Wilhelmus.

De koningin vond het heel leuk en ze ging vlak voor ons zitten. Later heb ik gehoord dat de koningin graag betrouwbare mensen achter zich heeft zitten, dan kunnen er geen gekke dingen gebeuren. De kosteres had natuurlijk evengoed de voorzitter van de kerkenraad kunnen kiezen, maar ze had gedacht: vooruit, het is een avondje Jordaan, we zetten de koningin tussen de Jordanezen.

De artiesten van het cabaret hadden eerst geen idee van wat er aan de hand was toen ze ineens het Wilhelmus hoorden en ze gluurden door het gordijn. Waarachtig, daar zat de koningin op de voorste rij, samen met de prins! De voorzitter, die zich verder tussen de coulissen ophield, bedacht spontaan dat hij majesteit wel even netjes welkom moest heten en stapte naar voren. 'Dat je gekomen bent!' zei hij ontroerd. 'Dat je gekomen bent. Ik weet nog dat ik met mijn moeder op de Rozengracht stond toen jij langs kwam met jóuw moeder. En nou ben je hier bij ons, niet te geloven. Lieve koningin, hartstikke bedankt en, nietwaar jongens, we gaan ons stinkende best doen.'

Nou, dat deden ze, het werd een vrolijke avond en alle meezingers kwamen voorbij:

M'n wiegie was een stijfselkissie,
m'n deken was een baaien rok,
m'n wiegie was versierd met strikkies,
m'n warme kruik zat in een ouwe sok.

Pal voor de koningin, en dus ook pal voor mij, zat de vrouwelijke drummer van het orkestje, een klein dikkerdje, haar korte rokje bood een spannende inkijk. 'Villa Schoonzicht!' riep ik. Daar moest de koningin erg om lachen.

Moeders dood

Heel af en toe zag ik m'n moeder nog wel op verjaardagen in de familie. 'Je moet er maar 's langs gaan,' zei tante Grietje soms, want die wou steeds dat het weer goed kwam. 'Zij kan anders ook wel 's wat van zich laten horen,' zei ik dan. Die mislukte reis naar Broek op Langendijk, toen ik in de auto naar huis die vijftig gulden in m'n jaszak vond, dat was in de ogen van mijn moeder een soort verzoening geweest, volgens m'n tante. 'Ach, je moet maar denken,' zei tante Grietje steeds, 'ze weet niet beter.' Soms vertelde ze dat m'n moeder om mij moest huilen. Dat zal wel, dacht ik dan. Ze begrepen er volgens mij allebei niets van.

Net als toen ze mijn moeder na de bevrijding in bescherming nam zodat ze niet werd kaal geknipt, hield tante Grietje haar ook nu de hand boven het hoofd. Ze had eigenlijk meer begrip voor m'n moeder als voor mij. Tante Annie steunde me wel, vroeger, ook tegenover ome Klaas, die altijd van die rare dingen zei. Op haar verjaardag, ik was toen dertien, veertien jaar, zag ome Klaas een keer dat er haren groeiden in mijn oksels. 'Wat heb jij daar nou voor een bos uien onder je armen,' zei hij. Ik schaamde me dood. 'Je moet je mond gaan spoelen,' zei tante Annie, 'met vitriool.'

En elf jaar geleden, ook op een verjaardag van tante Annie, zat ik als een trotse grootmoeder met Amber op schoot, de pasgeboren dochter van Bianca, maar m'n moeder gaf geen sjoege. 'Zeg, zou jij niet 's even naar je achterkleinkind omkijken?' riep tante Annie. 'Dat heeft ze allang gedaan,' zei tante Grietje. Nou, mooi niet.

Op de 93ste verjaardag van tante Annie in het Sarphatihuis kwam m'n moeder ook. Bij het naar huis gaan gaf ik haar een hand, mijn haren gingen overeind staan bij de gedachte dat ik haar een zoen zou moeten geven. Toen sloeg ze ineens haar armen om me heen: 'Je komt je moeder toch nog wel een keertje opzoeken?' 'Ik denk 't niet,' zei ome Klaas, 'ze geeft geen moer om d'r moeder.'

Zevenentachtig jaar was m'n moeder toen ze leverkanker kreeg, maar er was niemand die mij dat vertelde, ook tante Grietje niet, haar enige zus die nog leefde. Een nichtje van me woonde bij m'n moeder in de buurt en zorgde voor haar. Toen m'n moeder achteruit ging vroeg ze haar of ze mij niet nog een keer wou zien, haar enige dochter. Ome Klaas was toen niet in de kamer. 'Doe dat maar,' zei m'n moeder. Toen is mijn nichtje in het telefoonboek gaan zoeken onder Staats, de naam van m'n moeder, maar daar stond ik natuurlijk niet en tante Grietje vond het kennelijk ook niet nodig haar mijn nummer te geven. De volgende dag ging m'n nichtje aan m'n moeder zeggen dat ze me niet kon vinden, en toen zat ome Klaas naast haar bed. 'Ach, je moet het ook maar laten,' zei m'n moeder.

Ik denk dat ze al die jaren in Broek op Langendijk heeft moeten kiezen tussen mij en ome Klaas. En dus koos ze voor hem, want zonder die man was ze nergens, dat begrijp ik best. Hij deed wel alles wat God verboden heeft en dat wist ze donders goed, maar het was net alsof haar dat allemaal niet kon schelen. 'Mijn man is nummer één,' riep ze altijd. Ik denk wel eens: als ik moest kiezen tussen m'n kinderen of m'n man, al was het nog zo'n lieve man, ik koos voor m'n kinderen.

Tante Grietje belde op om te zeggen dat m'n moeder was overleden. Het deed me eigenlijk niet zoveel, misschien omdat ze eigenlijk nooit een plek had in mijn leven. Het kwam ook niet in me op om naar de begrafenis te gaan. Ik weet niet waarom. Er was iets kouds en doods in mijn lichaam, meer kan ik er niet van zeggen. Ik voelde ook geen opluchting, ik voelde helemaal niets.

Ik heb later wel aan mijn nicht verteld dat ik, toen mijn moeder stervende was, na een telefoontje zeker gekomen was, omdat ze daar immers zelf om had gevraagd. De thuiszorg had nog geïnformeerd of er geen kinderen waren die gewaarschuwd moesten worden, vertelde m'n nichtje. 'Nee, die zijn er niet,' had ome Klaas gezegd.

Nu vind ik het jammer dat ik geen afscheid heb kunnen nemen. Misschien was ik ook wel bang voor wat ome Klaas zou zeggen, wanneer ik zomaar op de begrafenis verscheen. 'Wat kom jij hier doen?' Ik weet niet hoe of ik dan had moeten reageren.

Hoe dan ook, het was de vierde begrafenis waar ik niet bij was: eerst die van m'n opa, toen van opoe, toen van tante Annie en nu ten slotte die van m'n moeder.

De moeder die ik nooit gehad heb, heb ik dus niet meer. Dat stuk van mijn leven is afgesloten, alleen wel op een andere manier als waarop die rare psychiater dat wou. Ik heb er nu vrede mee. Ko en ik hebben het fijn samen en onze kinderen zijn allemaal goed terechtgekomen. Bianca heeft een aardige man en lieve kinderen, ze werkt in de bejaardenzorg. Dennis zit in de horeca en Jordi is trambestuurder, net als Ko, dus ik vind dat we alles aardig op de rails hebben. Ik wil ook nog even zeggen dat m'n schoonouders altijd heel goed voor ons zijn geweest.

Ik woon sinds kort op IJburg, in een mooie flat met een lift, want mijn knieën zijn versleten. Maar ik werk nog wel, en altijd met plezier. De mensen zien me graag komen en ik ga graag naar ze toe, met de tram, helemaal gratis! Er is een gezin waar ik al meer als dertig jaar kom; het kleine jochie dat ik nog op schoot heb gehad, heeft me kort geleden in zijn ziekenhuis geopereerd. Nee, ik heb het goed. En in de zomer zoeken Ko en ik ergens de zon op en 's winters maken we een stedenreisje. Ik heb een cursus Engels gevolgd, dus ik kan me overal redden.

Zou m'n opa weten dat ik zo goed terecht ben gekomen? Ik denk nog vaak aan hem. Vroeger was ik dan altijd erg weemoedig, maar tegenwoordig geeft het me alleen maar een blij gevoel. Net als m'n opa geloof ik niet in de hemel, maar als er een hemel is, dan kijkt hij vast en zeker over het randje naar beneden en zegt: 'Zie je wel dat ik gelijk had, Aaltje, een goed kind regeert z'n eigen.'